Inhalt

W0108662

Peter Kalchthaler

Kleine Freiburger
Stadtgeschichte

Verlag Friedrich Pustet
Regensburg

Umschlagmotiv: „Freiburg im Breisgau", um 1830.
Kolorierter Stahlstich von Jens Gray.
(Augustinermuseum; Freiburg)

Bibliografische Information der Deutschen Bibliothek

Die Deutsche Bibliothek verzeichnet diese Publikation
in der Deutschen Nationalbibliografie; detaillierte bibliografische
Angaben sind im Internet über http://dnb.ddb.de abrufbar.

www.pustet.de

ISBN-10 3-7917-2009-0
ISBN-13 978-3-7917-2009-8
© 2006 by Verlag Friedrich Pustet, Regensburg
Umschlaggestaltung: Kulturdesign Anna Braungart, Tübingen
Gesamtherstellung: Friedrich Pustet, Regensburg

Vorwort

Eine „Kleine Freiburger Stadtgeschichte" zu schreiben, mag zunächst leicht klingen, denn spätestens seit dem Erscheinen der dreibändigen „Geschichte der Stadt Freiburg im Breisgau" zwischen 1992 und 1996 kann man auf einer soliden Basis aufbauen. Für einen umfassenden Überblick musste man zuvor ins 19. Jahrhundert zurückgehen, bis zu Heinrich Schreibers vorbildlicher Darstellung von 1857/58 oder zu der zweibändigen Stadtgeschichte Joseph Baders von 1882/83. Eine kurzgefasste Darstellung der Freiburger Stadtgeschichte ist seit Leo Alexander Rickers zuletzt 1970 neu aufgelegtem Buch „Freiburg – Aus der Geschichte einer Stadt" von 1964 nicht mehr erschienen.

Und doch ist es gerade die Fülle der zum 1995 gefeierten 875-jährigen Stadtjubiläum publizierten Untersuchungen, die das Unterfangen zum einen gar nicht so einfach macht. Auf der anderen Seite kann man als Autor natürlich dankbar auf die Vorarbeit vieler Kollegen zurückgreifen, sodass es vor allem die schwierige Aufgabe der Auswahl ist, der man sich zu unterwerfen hat.

Der Weg Freiburgs beginnt nicht in den Gründungsjahren der Stadt zwischen 1091 und 1120, sondern hat seine Voraussetzungen in der Topographie der Region und ihrer historischen Entwicklung in vorgeschichtlicher Zeit. Hier setzt die „Kleine Freiburger Stadtgeschichte" ein und spannt den Bogen über Jahrhunderte: von den Herzögen von Zähringen über die Grafen von Freiburg, die Habsburger und die badischen Großherzöge bis in die Gegenwart.

Zu den Aufgaben des Museumsmanns zählt es, größere Zusammenhänge sichtbar und nachvollziehbar aufzubereiten. Ich hoffe, dass mir dies mit der „Kleinen Freiburger Stadtgeschichte" gelungen ist, die sich an Freiburgerinnen und Freiburger ebenso wie an all jene wenden will, die sich für die Geschichte unserer Stadt interessieren. Ich bin dem Pustet-

Verlag dankbar, dass er die „Kleine Freiburger Stadtgeschichte" in seine 1999 begonnene Reihe aufgenommen hat. Dankbar bin ich meinem Freund und Kollegen Dr. Hans-Peter Widmann vom Freiburger Stadtarchiv für die kritische Durchsicht meines Textes und seine Anmerkungen. Dem Lektorat des Verlags bin ich ebenso dankbar, weil es in manchen Fällen die Sicht des eingeborenen Freiburgers auf Details, die allzu selbstverständlich vorausgesetzt wurden, relativiert und die eine oder andere Neugewichtung und Ergänzung vorgeschlagen hat, um das Werk auch für einen Leserkreis außerhalb der Stadt zu erschließen.

Freiburg, im März 2006   Peter Kalchthaler

Topographie und Frühgeschichte

Im Westen durch die Vogesen und im Osten durch den Schwarzwald begrenzt, zeigt sich die südliche Oberrheinregion als breites, in Nord-Süd-Richtung gestrecktes Tal. Klimatisch wie verkehrstechnisch bedeutend ist die nach Südwesten gerichtete Verbindung ins Zentrum Frankreichs über das Becken der Saône und das Rhônetal zum Mittelmeer durch die zwischen dem Jura und den Südvogesen gelegene Burgundische Pforte. Das Hochrheintal erschließt südlich des Schwarzwaldes einen Weg nach Osten in den Bodenseeraum.

Die Luftaufnahme der Altstadt von Westen zeigt den seit der Stadtgründung in allen wesentlichen Zügen erhaltenen Straßengrundriss.

Auf Höhe des Kaiserstuhls, der als Rest eines Vulkans auf die Entstehung des Oberrheintals als tektonischer Grabenbruch vor 65 Millionen Jahren hinweist, treten die Schwarzwaldberge in einem Bogen nach Osten zurück und bilden die Breisgauer Bucht. Mehrere Flusstäler bilden Zugänge in den Schwarzwald und in die weiter östlich gelegenen angrenzenden Landschaften: im Norden das Elztal und das Glottertal, in der Mitte das Dreisamtal, im Süden das Münstertal mit der Möhlin. Vor dem Schwarzwald erhebt sich durch das Hexental abgetrennt der Schönberg. Er bildet die höchste Erhebung der Vorbergzone. Kleinere Formationen wie Tuniberg und Nimberg liegen in der Ebene zum Kaiserstuhl.

In der Breisgauer Bucht entstand die Stadt Freiburg am Austritt der Dreisam, die zwischen Schlossberg und Sternwald ihr Tal verlässt. Östlich des schmalen Durchbruchs weitet sich das Tal zum Zartener Becken. Die Altstadt liegt am rechten Dreisamufer auf dem durch den Fluss herantransportierten Schwemmfächer aus Kies. Trotz seiner naturgegebenen, strategisch wie verkehrstechnisch außerordentlich günstigen Lage ist Freiburg wesentlich jünger als die beiden anderen Großstädte des südlichen Oberrheins. Straßburg und Basel – beide linksrheinisch gelegen – erlangten auf älteren Wurzeln die Grundlagen ihrer städtischen Entwicklung in der Römerzeit. Auch das einst für die Region namengebende Breisach ist wesentlich älter als der heutige Hauptort des Breisgaus, der seine Entstehung inmitten eines alten Siedlungsraums der Initiative einer adeligen Familie im Hochmittelalter verdankt.

Die ersten Menschen im Breisgau

Archäologische Funde belegen die frühe Besiedlung des Breisgaus seit etwa 200 000 Jahren. Im Freiburger Raum hat der Mensch in der späten Altsteinzeit (12 000–8000 v. Chr.) erste Spuren hinterlassen. Mit der Zuwanderung neuer Volksstämme änderte sich die Lebensweise der nomadisch umherziehenden Jäger und Sammler in der Jungsteinzeit (Neolithikum 5600–2200 v. Chr.). Nun betrieben die Menschen

Feldanbau und Vorratshaltung von Getreide. Tiere wie Schaf, Ziege, später Schwein und Rind wurden gezähmt und als Haustiere gehalten. Die Einwanderer fanden am Oberrhein ideale Bedingungen: ein gutes Klima, Lössboden, der leicht zu beackern war, Lagerstätten mit Feuerstein für ihre Werkzeuge.

Die Steinzeit endete wiederum mit der Zuwanderung fremder Völker, die neben der bestehenden Bevölkerung lebten und sich allmählich mit dieser vermischten. Sie brachten die Kenntnis der Metallverarbeitung und leiteten den allmählichen Wechsel von der Steinzeit zur Bronzezeit (2200–800 v. Chr.) ein. In der teilweise zeitgleichen Urnenfelderkultur (1200–800 v. Chr.) und in der Hallstattzeit (bis 480 v. Chr.) nahm die Zahl befestigter Höhensiedlungen zu. Gleichzeitig setzte die Differenzierung der Bevölkerung zu verschiedenen spezialisierten Gruppen – Bauern, Krieger, Handwerker – ein. Handwerk und Handel konzentrierten sich zunehmend in den Höhensiedlungen, die auch zum Sitz einer Oberschicht wurden. Neben die Bronze trat das Eisen als metallischer Werkstoff. Ungeklärt ist, ob man schon damals die spätestens seit der Römerzeit ausgebeuteten Erzlagerstätten der Region nutzte.

In der Späthallstadt- und Frühlatènezeit (um 600–ca. 400 v. Chr.) befand sich auf dem Breisacher Münsterberg ein Fürstensitz, für den sich wie in anderen gleichartigen Siedlungen Handelsverbindungen bis in den Mittelmeerraum nachweisen lassen. Dies belegen auch die Funde in den zahlreichen imposanten Hügelgräbern jener Zeit. Die Bewohner Breisachs und seiner Umgebung waren Kelten und gehörten vermutlich dem Stamm der Rauriker an, der seinen Siedlungsschwerpunkt am Rheinknie bei Basel hatte.

Um die Mitte des 5. Jahrhunderts wurden die Höhensiedlungen aufgegeben und es entstanden Großsiedlungen, die man mit dem von Cäsar übernommenen römischen Namen als „Oppida" bezeichnet. Ihr mögliches Ausmaß verdeutlicht das Oppidum *Tarodunum* im Zartener Becken, das eine Fläche von 200 ha einnahm und von einer sechs Kilometer langen Mauer umgeben war.

Kelten und Römer

Nach der durch Cajus Iulius Cäsar vollendeten Eroberung Galliens drangen die Römer zur Regierungszeit Kaiser Augustus' (27 v. Chr. – 14 n. Chr.) vom Elsass her auf rechtsrheinisches Gebiet vor. Unter Kaiser Claudius gelang die endgültige Eroberung des so genannten Dekumatlandes. In den beiden folgenden Jahrhunderten schufen die Römer jene Infrastruktur, die für die weitere geschichtliche Entwicklung der Region wegweisend bleiben sollte. Zur Sicherung des Hinterlandes und zur Gewährleistung des Nachschubs bauten sie Militärstationen wie das Versorgungs- und Legionslager bei Sasbach oder das Kastell in Riegel. Neben den genannten Stationen sicherten in der Spätantike militärische Einrichtungen wie die Kastelle bei der Burg Sponeck und auf dem Breisacher Münsterberg diese Grenzregion des Römischen Reiches.

Außer der wichtigen Nord-Süd-Verbindung gab es vom Rheintal aus mehrere Fernwege in den Schwarzwald. Das Kastell Riegel war über Denzlingen und das Glottertal mit dem Kastell bei Hüfingen verbunden. Am Ausgang des Dreisamtals, von wo eine zweite, ältere Aufstiegsroute über das Zartener Becken und das Wagensteigtal nach Osten in den Schwarzwald führte, gab es aber offenbar keinen Militärstützpunkt. Weder für das früher wegen dort gefundener Mosaikreste vermutete Kastell auf dem Schlossberg noch für eine Villa rustica im Bereich der späteren Burg haben sich Belege finden lassen, und auch die wenigen römischen Scherben, die bei Grabungen in der Freiburger Altstadt zutage gekommen sind, beweisen keineswegs die Existenz einer Siedlung in der Römerzeit.

Neben dem guten Ausbau des Straßennetzes begann in dieser Zeit die Erschließung von Bodenschätzen in größerem Ausmaß, wie archäologische Funde bei Sulzburg belegen. Ansonsten war der Breisgau in der relativ friedlichen Phase bis zum 3. Jahrhundert weitgehend ländlich geprägt, das heißt durch wenige Vici – ausgedehnte Siedlungen wie Breisach, Riegel, Umkirch und Krozingen – und vor allem durch Gutshöfe. Ein Beispiel ist die Villa urbana von Heitersheim, die sich durch Größe und architektonischen Anspruch als Sitz einer einflussreichen Familie ansprechen lässt. Das einzige bedeutende städtische Zentrum des südlichen Oberrheins und des Hochrheins war *Augusta Raurica* nahe Basel, das in augusteischer Zeit als Veteranenkolonie gegründet worden war.

Spätrömische Zeit und frühes Mittelalter

Im 3. Jahrhundert traten zunehmend die Alamannen auf den Plan, die in den Quellen zur römischen Geschichtsschreibung seit 213 genannt werden. Den Namen kann man keinem bestimmten Volk zuordnen; es handelt sich vielmehr um den Zusammenschluss einzelner, jeweils von Kleinkönigen oder Kleinfürsten regierter, kriegerischer Stämme. Nach dem Fall des Limes 259/60 drängten sie die Römer mehr und mehr an den Rhein zurück. Nun wurde der Breisacher Münsterberg zum starken Grenzkastell ausgebaut. Ein Edikt Kaiser Valentinians nennt 369 erstmals seinen Namen: *Brisiacum*.

Bis zum Abzug der Truppen über die Rheingrenze nach dem Jahr 400 blieb Breisach mit römischem Militär belegt und wurde danach von den Alamannen übernommen. Trotz der Berichte über kriegerische Auseinandersetzungen überwogen im Verhältnis der Römer zu den Alamannen die Zeiten friedlichen Miteinanders. So gab es im römischen Heer Alamannen in hohen Positionen und in deren Siedlungen und Gräbern lässt sich seit der zweiten Hälfte des 4. Jahrhunderts die weitgehende Übernahme der römischen Zivilisationsgüter beobachten. Somit bildete der Breisgau als Teil des Dekumatlandes keine eigentliche Grenzregion, in der sich zwei Völker feindlich gegenüberlagen, sondern ein gemeinsam genutztes und bewohntes Zwischengebiet.

Auf dem schon in keltischer Zeit besiedelten Zähringer Burgberg nördlich von Freiburg war bereits im 4. Jahrhundert eine alamannische Höhensiedlung entstanden. Auf einem künstlich geschaffenen Plateau wurde hier ein repräsentativer Königsitz angelegt, der nach Ausweis der archäologischen Funde zumindest für den nördlichen Breisgau eine zentrale

Die Ansicht der Burgruine Zähringen stammt aus Johann Daniel Schöpflins „Historia Zahringo Badensis", die im Auftrag von Markgraf Karl Friedrich von Baden verfasst wurde und 1763/66 in Karlsruhe erschienen ist.

Funktion besaß. Die beherrschende Lage am Rand des Schwarzwaldes hatte schon zuvor für eine Besiedlung des Burgbergs gesorgt und war in der Folge wohl auch ausschlaggebend für die Auswahl dieses Platzes durch die Herzöge von Zähringen als Ort, der dem Geschlecht den Namen gab. Die alamannische Siedlung scheint jedenfalls bis um 500 bestanden zu haben. In spätmerowingisch-karolingischer Zeit war der Berg nochmals besiedelt, wiederum mit einer großen Anlage, doch auch dieser im 8. und 9. Jahrhundert bestehende Ort wurde aus unbekannten Gründen wieder aufgegeben.

Nach der „dunklen", weil urkundenarmen Zeit zwischen dem Ende der römischen Herrschaft und der Karolingerzeit im 8. Jahrhundert bilden große Klöster einen bedeutenden Herrschaftsfaktor im Breisgau. Dies gilt in erster Linie für das Benediktinerkloster Sankt Gallen, Reichsabtei seit Beginn des 9. Jahrhunderts, das hier umfangreiche Güter, vor allem am Schönberg, erwerben konnte. Auch das Zartener Tal war im

16

frühen Mittelalter Sankt Galler Besitz. Kirchenpatrozinien wie Sankt Gallus in Merzhausen und Kirchzarten weisen noch heute auf die ehemaligen Besitzverhältnisse hin. Das 762/63 von einem Breisgaugrafen gegründete, ebenfalls königliche Kloster Lorsch hatte Besitztümer am Nimberg, am Kaiserstuhl und am Schönberg. Die Pfarrkirche Sankt Hilarius in Ebnet sowie der von verschiedenen Gemeinden im Breisgau abzuleistende „Säckinger Zehnt" zeigen eine alte Verbindung zum Frauenkloster in Säckingen.

Herzog Burchard I. von Schwaben und seine Frau Reginhild gründeten im frühen 10. Jahrhundert das Frauenkloster Sankt Margarethen in Waldkirch und statteten es mit umfangreichen Gütern in der Umgebung aus. Nach der Mitte des Jahrhunderts übertrug Kaiser Otto I. der Schweizer Benediktinerabtei Einsiedeln zahlreiche Besitzrechte im nördlichen Breisgau, darunter Betzenhausen und Ebnet. Die Königsmacht wurde wie in anderen Regionen des Reichs auch im Breisgau durch Grafen vertreten, die hier seit der Mitte des 8. Jahrhunderts bezeugt sind. Sie hatten im Auftrag des Königs für Frieden und Recht zu sorgen, waren für Wege- und Brückenbau zuständig und kümmerten sich um militärische Belange wie das Ausheben von Truppen.

Der Aufstieg der Zähringer (1091–1218)

Die Situation wenige Jahrzehnte vor der Gründung Freiburgs beleuchtet eine Urkunde, mit der Kaiser Heinrich II. dem Basler Bischof Adalbero im Jahr 1008 seinen Wildbann im nördlichen Breisgau übertrug. Mit einem solchen Jagdprivileg waren nicht unerhebliche Einkünfte verbunden. Die Beschreibung der Grenzen des Jagdgebietes nennt zahlreiche Orte in der unmittelbaren Umgebung der späteren Stadt, darunter die heutigen Stadtteile Herdern, Zähringen, Tiengen, Uffhausen, Adelhausen und die Wiehre. Der Bischof von Basel war einer der bedeutendsten Herrschaftsträger im Breisgau. 1028 übertrug ihm Heinrichs Nachfolger Kaiser Konrad II. seine Rechte an Breisgauer Silbergruben, darunter jenen bei Sulzburg.

Im Jahr 1004 wurde mit Bertold (auch „Bezzelin von Villingen") erstmals ein direkter Vorfahr der Zähringer als Graf im Breisgau genannt und 1016 als Graf in der Ortenau fassbar. Die alte alamannische Adelsfamilie der „Bertolde" oder „Alaholfinger" saß ursprünglich in Weilheim unter Teck und hielt auf der Baar und im Neckartal umfangreichen Besitz. Im Jahr 999 hatte Bertold von Kaiser Otto III. ein Marktprivileg für seinen Ort Villingen erhalten. Seinem Sohn Bertold I. „dem Bärtigen", Graf im Albgau, im Thurgau, in der Ortenau und im Breisgau sowie Vogt des Stiftes Bamberg, hatte Kaiser Heinrich III. angeblich die schwäbische Herzogswürde zugesagt. Die Kaiserwitwe Agnes vergab den Titel nach 1056 jedoch an Rudolf von Rheinfelden. Als Ausgleich wurde Bertold I. im Jahr 1061 mit dem Herzogtum Kärnten belehnt, wonach er alle Grafschaften bis auf die des Breisgaus seinem Sohn Hermann übertrug, der nun zusätzlich den Titel „Markgraf" nach der Kärnten zugehörigen Mark Verona führte. Er ist der Stammvater des Hauses Baden.

Kaiser Heinrich IV. entzog Bertold I. im Jahr 1077 das Herzogtum Kärnten, da dieser sich der südwestdeutschen Fürstenopposition gegen den König angeschlossen und die

Wahl Rudolfs von Rheinfelden zum Gegenkönig unterstützt hatte. Den Breisgau erhielt Bischof Werner II. von Straßburg zu Lehen. Mit militärischen Mitteln setzte hier Bertold II. nach dem Tod seines Vaters 1078 die Herrschaft seiner Familie durch. Er verwüstete den Breisgau, eroberte unter anderem die Burg Wiesneck im Dreisamtal, beschlagnahmte Besitztümer des Klosters Sankt Gallen und setzte mit seinen Aktionen die Bischöfe von Straßburg und Basel als wichtige Parteigänger Heinrichs IV. unter Druck.

Erst im Jahr 1090, nach dem Tod Bertolds von Schwaben, dem Sohn Rudolfs von Rheinfelden, konnte Bertold II., der sich als Erster „von Zähringen" nannte, den 1080 verstorbenen Gegenkönig, mit dessen Tochter er verheiratet war, beerben und kam so in den Besitz größerer Gebiete am Hochrhein und in der Westschweiz. Damit rückte der Breisgau endgültig in den Mittelpunkt des Familieninteresses. Bertold II. verzichtete auf den Wiederaufbau des 1077 zerstörten Hausklosters seiner Familie in Weilheim unter Teck und gründete stattdessen die Benediktinerabtei Sankt Peter im Schwarzwald, deren erste Kirche 1093 geweiht wurde.

Die Gründung Freiburgs

Im Gegensatz zu der als Lehen des Reichs gehaltenen Burg Zähringen hatte die Familie das Gelände am Ausgang des Dreisamtales als Eigenbesitz inne. Hier gründete Bertold II. seinen Ort Freiburg. Es gibt keinen Grund, an dem erst in späteren Quellen genannten Gründungsdatum 1091 für Burg und Stadt zu zweifeln. Mit dem Jahr 1120 für die Einrichtung des Marktes durch Konrad, den Sohn Herzog Bertolds II., haben wir die Eckdaten der Stadtentstehung. Sie scheint in der Tat auf weitgehend unbebautem Gelände inmitten wesentlich älterer Siedlungen entstanden zu sein, die allerdings keinesfalls als Vorgänger oder „Keimzellen" Freiburgs angesprochen werden können. Bemerkenswert ist jedoch die Übernahme eines bestehenden, alten Straßensystems in die neue Stadt.

Die in der Wildbannurkunde 1008 erwähnte Siedlung

Wiehre (von wuor = Stauwehr) ließ sich bisher archäologisch nicht lokalisieren, befand sich aber in jedem Fall wegen des Namens unmittelbar beim Fluss Dreisam. Es wird vermutet, dass es sich um eine königlichem Recht unterstellte Gewerbesiedlung mit zahlreichen Mühlen handelte, die auch der Verarbeitung von Silbererz gedient haben könnte. Aller Wahrscheinlichkeit nach lag die Wiehre südlich der Dreisam bei dem alten – vielleicht schon zur Römerzeit bestehenden – Flussübergang vor Oberlinden.

Die alte Kirche Sankt Peter – mit einigen Häusern an der Straße nach Breisach im Westen der späteren Stadt gelegen und im 17. Jahrhundert im Zuge des Festungsbaus abgebrochen – war Filiale von Umkirch, das wiederum dem Bischof von Basel unterstand. Offenbar waren Kirche und Weiler altes Reichsgut, denn noch im Spätmittelalter hatten die Bewohner Zinsen an den Reichsvogt auf Burg Zähringen zu zahlen.

Ein weiterer vorstädtischer Siedlungskern wird um die Martinskirche angenommen, doch fehlt auch hier jeglicher archäologischer Befund. Ausgangspunkt der These ist die Vermutung, es habe sich bei der 1246 an die Franziskaner geschenkten Martinskapelle um die Hauskirche eines fränkischen „Herrenhofs" gehandelt. Das bei den Franken häufige Martinspatrozinium gilt dabei als Indiz für das hohe Alter der Kirche. Wann der spät erwähnte Hof bei der Martinskirche jedoch entstand und zu welchem Zeitpunkt er in den Besitz der Zähringer kam, lässt sich nicht klären. Deshalb bleibt die Existenz einer vorstädtischen Siedlung bei Sankt Martin nach wie vor eine offene Frage.

Zur Burg auf dem Schlossberg gehörten eine in der Oberau gelegene Mühle und ein Wirtschaftshof, der zwischen dem späteren Schwabentor und Kloster Neu-Adelhausen lokalisiert wird. Daneben gab es eine kleinere Siedlung für Dienstleute des Herzogs zu Füßen der Burg, ebenfalls in der „Oberen Au". Vielleicht entstand schon damals eine erste Brücke über die Dreisam und verband die südlich des Flusses verlaufende Talstraße mit der alten Weggabelung bei Oberlinden. Um 1100 hat Bertold II. dann im Bereich Oberlinden eine neue Siedlung angelegt, die sich südlich der schon zuvor vorhandenen

Salzstraße nach Westen zog. Sie bildete die nördliche der drei Gassen des ersten Wegenetzes. Die beiden anderen Wege sind die heutige Grünwälderstraße und die Gerberau. Wo das Vorbild Bertolds II. für seine Gründung lag, ist unklar. Vermutlich hat die in Burgund und im westfränkischen Raum häufig anzutreffende Siedlungsform des „burgus" eine Rolle gespielt, jene auf herrschaftliche Initiative zurückgehenden, nicht mehr rein agrarisch geprägten, sondern auch Handwerk und Handel gewidmeten, nicht ummauerten Orte bei einer Burg oder einem Kloster.

Der Name „Freiburg"

Die Siedlung Bertolds II. trug bereits den Namen „Freiburg". Man bezog diesen Namen gerne auf die rechtliche Stellung der Bewohner, denen der Stadtherr zahlreiche Privilegien zukommen ließ. Inzwischen wurde aber darauf hingewiesen, dass man die Namensgebung ganz anders deuten muss:
1090 war König Heinrich IV. nach Italien gezogen, wo er sechs Jahre blieb und das Reich damit königslos hinterließ. Im selben Jahr wurde Bertold II. von Zähringen Erbe des rheinfeldischen Hausbesitzes und übernahm auch den Anspruch auf das Herzogtum Schwaben, das einst seinem Vater zugesagt und zugunsten Rudolfs von Rheinfelden verweigert worden war. Heinrich IV. wiederum hatte Rudolf die Herzogswürde aberkannt und Friedrich von Staufen als Herzog in Schwaben eingesetzt. 1092 wählten die Gegner Heinrichs IV. den Zähringerherzog Bertold II. dann tatsächlich zum Gegenherzog des Staufers. Schon bei seiner Stadtgründung 1091 hatte Bertold vermutlich auch über Reichsgut verfügt und übte damit in seinem Anspruch als höchster Vertreter des Reichs in Schwaben „freies", das heißt „königliches" Recht aus, was er im Namen seiner Gründung zum Ausdruck brachte.

Nach dem Ausgleich mit den Staufern im Jahr 1098 und dem Verzicht auf den schwäbischen Herzogstitel erhielt Bertold II. von Kaiser Heinrich IV. die Stadt Zürich als Reichslehen und dürfte auch wieder die Verfügung über die erstmals 1128 urkundlich genannte Reichsburg Zähringen erlangt haben, nach der er „dux de Zahringen" genannt wird. Der noch immer geführte Titel eines Herzogs belegt den neu gefestigten

Status der Zähringer trotz des Verzichts auf Schwaben. Manche Zeitgenossen sahen in diesem vom König verliehenen Herzogtum jedoch einen „leeren" – weil nicht mit einem Herrschaftsgebiet verbundenen – und somit angemaßten Titel. Der den Staufern nahe stehende berühmte Chronist Otto von Freising empfand sogar eine Störung der gottgewollten Ordnung. Dieser scheinbare Makel erklärt, warum die Zähringer stets danach trachteten, sich gegenüber dem Königtum durch Leistungen verdient zu machen. Nur damit konnten sie den Titel dauerhaft für die Familie sichern.

Die Gestalt des frühen Freiburg

Noch bei der 850-Jahrfeier im Jahr 1970 war man davon ausgegangen, dass sich keine Bausubstanz aus der Gründungsphase der Stadt erhalten hat. Durch Grabungen und Bauuntersuchungen hat sich seither aber in vielen Details eine Neubewertung ergeben. Die um 1980 einsetzende Erforschung der vor allem um Oberlinden zahlreich vorhandenen Tiefkeller brachte bedeutende Reste der Zeit zwischen 1135 und 1180 zutage. Der umfangreiche Baubestand der spätromanischen Zeit belegt auch die Förderung des jungen Gemeinwesens durch die Stadtherrschaft. Die bisher ältesten baulichen Zeugnisse fanden die Archäologen des Landesdenkmalamtes auf dem Areal der „Harmonie" zwischen Grünwälderstraße und Gerberau, das 1990 nach dem Abbruch der alten Bebauung und vor dem Neubau eines Kinokomplexes untersucht werden konnte. Die Befunde weisen auf die Zeit um 1100, eine intensive Nutzung scheint allerdings erst im zweiten Drittel des 12. Jahrhunderts, nach Fertigstellung der 1120/30 begonnenen Stadtmauer, eingesetzt zu haben.

Die interessanteste Entdeckung waren Spuren der Verarbeitung von Buntmetall und Silber – Schmelztiegel, Gussfragmente und Schlacken –, die hier wohl schon vor 1120 und bis um 1200 stattgefunden hat. Damit hat man den frühesten Beleg für die stets postulierte, aber bisher kaum archäologisch erschlossene Rolle des Silberbergbaus bei der Gründung der

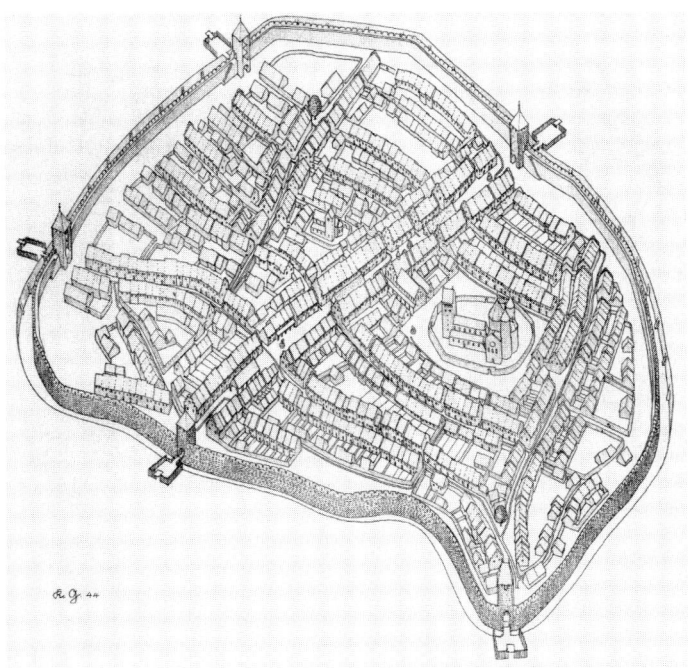

Idealplan des zähringischen Freiburg. Zeichnung des Architekten Karl Gruber aus dem Jahr 1944 für sein 1952 erschienenes Buch „Die Gestalt der deutschen Stadt".

Stadt. Das in Freiburg weiterverarbeitete Silber stammte aus den Gruben in der unmittelbaren Umgebung und trug wesentlich zum raschen Aufschwung der Stadt bei.

Marktgründung und Stadtrecht

Im Jahr 1120, noch zur Regierungszeit seines älteren Bruders Bertold III., der dem 1111 verstorbenen Bertold II. als Herzog nachgefolgt war, gründete Konrad von Zähringen auf „seinem eigenen Platz Freiburg" einen Markt. Er erstreckte sich westlich der bestehenden Siedlung an der Salzstraße quer zu dem alten Handelsweg, den noch heute der geschwungene Verlauf der Salz- und der Bertoldstraße markiert.

Die Urkunde von Konrads Marktgründung ist nicht im Original erhalten, lässt sich aber aus späteren Quellen rekonstruieren. Im Güterbuch der Zisterzienserabtei Tennenbach, aufgeschrieben zwischen 1317 und 1341, findet sich die wichtigste Abschrift der „Gründungsurkunde" Freiburgs. Der Stadtherr setzte zum Ausbau Freiburgs insbesondere auf Kaufleute, die er von überall her zur Ansiedlung zusammenrief und die an dem neuen Markt gegen günstigen Zins Hofstätten erhalten sollten. Streitigkeiten unter den Bewohnern sollten nach Kaufmannsrecht verhandelt werden, auf der Grundlage des Kölner Rechts. Von Steuern und Zöllen wurden die Kaufleute weitgehend befreit. Weitere Artikel regelten die Rechte und Pflichten des Stadtherrn und seiner Bürger. So garantierte Konrad unter anderem den Schutz der Kaufleute und ihrer Waren, die freie Wahl des Pfarrers und wichtiger städtischer Amtsträger, die lediglich der Bestätigung durch den Herzog bedurften. Die Bürger brauchten sich bei einer Heerfahrt für den Herzog nicht weiter als eine Tagesreise von der Stadt zu entfernen.

Straßennetz und Mauer

Mit der Erteilung des Marktprivilegs wurde der „burgus" Bertolds II. endgültig auf den Weg zur Stadt gebracht, die nun in den folgenden Jahren systematisch auf- und ausgebaut wurde. Die von Ost nach West verlaufenden Hauptwege folgen den Höhenlinien des Dreisamufers, was ihren geschwungenen Verlauf erklärt. Querachsen schaffen eine Leiterstruktur. Archäologische Grabungen zwischen Gauchstraße und Unterlinden in den Jahren 1988 bis 1992 haben unter anderem ergeben, dass das dortige Straßennetz wie zuvor an der Grünwälderstraße schon vor Errichtung der ältesten Steinbauten angelegt worden ist. Eine solche mit erheblichem Aufwand verbundene Investition in die öffentliche Infrastruktur kann nur auf Initiative des Stadtherrn erfolgt sein.

Eine noch größere öffentliche Baumaßnahme bedeutete die Errichtung der 1220 erstmals urkundlich erwähnten Stadtmauer, die bald nach 1120 zusammen mit der im Westen außerhalb der bestehenden Siedlung trassierten Marktgasse konzipiert worden ist. Die über weite Strecken einheitliche Bauweise der Mauer – ablesbar an den erhaltenen und ergrabenen Abschnitten – zeigt, dass sie in einem Zug von einer eigenen Bauhütte errichtet worden ist. Sie besteht aus einer über einen Meter dicken zweischaligen Bruchsteinmauer mit einer Verfüllung aus Wacken in Kalkmörtel. Nach dem Bau des aufrechten, zinnengekrönten Mauerteils hob man den Graben aus. Ein Teil des Aushubs wurde hinter der Mauer aufgeschüttet und zur Stadt hin durch eine weitere, dünnere Mauer abgestützt. Auf dieser Hinterschüttung verlief der Wehrgang als Rondenweg. Hölzerne Wehrgänge ließen sich für Freiburg nicht nachweisen. Die innere Flanke des Grabens sicherte zusätzlich eine bis hinunter zur Sohle reichende, schräge Mauerschürze. Mit dem Graben betrug die Gesamthöhe der Mauer über zehn Meter. Unbekannt ist die Form der ersten Tore, vermutlich handelte es sich um einfache Mauerdurchbrüche. Beim Bau der Mauer rechnete man von Beginn an ein weiteres Wachstum der Stadt ein und umschloss große, noch unbebaute Flächen.

Bächle, Brunnen, Sickergruben

Zur frühen Infrastruktur Freiburgs gehört das bis in die Neuzeit genutzte System der Wasserversorgung mit Stadtbächen. Wegen der Lage auf dem Schwemmfächer der Dreisam, der einen kiesigen, sehr durchlässigen Untergrund bildet, liegt der Grundwasserspiegel sehr tief. Die Anlage von Tiefbrunnen war deshalb mit hohem Aufwand verbunden, und in der Tat fanden sich in Freiburg solche Anlagen äußerst selten. Die Stadt besaß schon früh ein duales System der Wasserversorgung: Es gab zahlreiche öffentliche und wenige private Laufbrunnen, zu denen mit einer hölzernen Deichelleitung Quellwasser aus dem sumpfigen, östlich der Stadt gelegenen Gewann Mösle

(Moos = Sumpf) geführt wurde. Brauchwasser zur Viehtränke, für Waschzwecke und nicht zuletzt zum Feuerlöschen strömte in die weit verzweigten „Bächle". Deren aus dem Gewerbekanal abgeleitete Zuführung durchfließt einen künstlichen Stollen im Schlossberg und tritt beim Schwabentor in die Stadt. Beim Predigertor befand sich der Auslass. Hier im Westen der Stadt sind die Bächle 1238 und 1244 erstmals urkundlich belegt. Bei ihrer Anlage hat man zahlreiche Straßen aufgeschüttet, um ein gutes Gefälle zu erzielen. Die Erhöhung des Niveaus beträgt an einigen Stellen bis zu drei Meter, sodass im gesamten östlichen Teil der Altstadt Erdgeschosse zu Kellerräumen wurden.

Entgegen der noch immer weit verbreiteten Meinung dienten die Bächle also nicht als Abwasserkanäle. Nur zu streng geregelten Zeiten durfte Abfall in die Stadtbäche geschüttet werden. Die Entsorgung der Abwässer und Fäkalien erfolgte vielmehr über große Latrinen in Form von tiefen runden Schächten auf jedem Grundstück. Auch sie lassen sich schon im 12. Jahrhundert nachweisen. In vielen Häusern blieben diese Sickergruben bis zum Bau einer modernen Schwemmkanalisation 1890 in Benutzung. Durch das regelmäßige Ausräumen hat sich wenig vom Inhalt der Latrinen erhalten, die auch zur Entsorgung von zerbrochenen Töpfen, Geschirr, Gläsern und anderem Hausrat genutzt wurden. Eine Ausnahme bildet die 1980 aufgedeckte, sehr große Abfallgrube des Freiburger Augustinereremitenklosters, aus der eine Fülle von Alltagsgegenständen des 13. bis 16. Jahrhunderts geborgen werden konnte.

Die drei letzten Zähringer

Nach dem gewaltsamen Tod Bertolds III. von Zähringen bei Molsheim im Jahr 1122 folgte ihm sein Bruder Konrad als Herzog nach. Im Jahr 1127 erhielt er von König Lothar III., der Verbündete im Machtkampf gegen die Staufer suchte, das auch für die Weiterführung des Herzogtitels wichtige Rektorat (das heißt die Vertretung des Königs in Angelegenheiten des

Reichs) von Burgund. Es bezog sich im Wesentlichen auf die heutige Westschweiz südöstlich des Jura, nicht aber auf das zugehörige Gebiet jenseits des Jura oder die Gebiete an der Sâone und der Rhône. Weder Konrad noch seinem Sohn und Nachfolger Bertold IV. gelang es, die Statthalterschaft durch Unterstützung der staufischen Herrschaftsansprüche auf ganz Burgund auszuweiten. Die Heirat Kaiser Friedrich Barbarossas mit der burgundischen Erbtochter Beatrix im Jahr 1156 machte die weitergehenden Ambitionen der Zähringer endgültig zunichte.

Kurze Zeit später gründete Bertold IV. die Stadt Freiburg im Uechtland, um die Kontrolle seiner Familie über die Region an der Schwelle der deutschen und der welschen Schweiz auch weiterhin zu sichern. Die Gründung Berns und seiner starken Burg Nydegg durch Bertold V. erfolgte 1191, nachdem der Zähringer einen Aufstand des burgundischen Adels niedergeschlagen hatte. Der Festigung zähringischer Macht in Burgund diente auch der Ausbau von Burgdorf, das schon seit 1090 als Teil des rheinfeldischen Erbes im Besitz der Zähringer war und wo Bertold V. eine große Burg erbauen ließ, und anderer Orte wie Thun oder Moudon.

Trotz des stetigen Konfliktes mit den Staufern stieg die Macht des Hauses weiter. Herzog Bertold V. von Zähringen, der seinem Vater 1186 nachgefolgt war, ließ sich 1198 von den Staufergegnern sogar zur Königskandidatur drängen. Nach Verhandlungen mit Herzog Philipp von Schwaben zog er sich aber zugunsten der Staufer zurück und erhielt im Gegenzug Reichsrechte in Schaffhausen sowie die den Staufern gehörige Stadt Breisach. Herzog Bertold V. starb zu Beginn des Jahres 1218, ohne Nachkommen zu hinterlassen. Die linksrheinischen Gebiete gingen als Erbe an den Mann seiner Schwester Anna, Ulrich von Kyburg. Den rechtsrheinischen Besitz mit Freiburg erbte der Sohn von Bertolds Schwester Agnes, Graf Egino V. von Urach. Er und seine Nachfolger nannten sich „Grafen von Freiburg".

Die Stadt wächst

Das Gemeinwesen war unter Konrad von Zähringen und seinen Nachfolgern rasch gewachsen und die freien Flächen innerhalb der Mauer hatten sich allmählich gefüllt. In Herzog Konrads Regierungszeit fällt die früheste urkundliche Nennung des Freiburger Münsters: Der heilige Bernhard von Clairvaux unternahm im Winter 1146/47 eine Reise durch mehrere Bistümer im südwestdeutschen Raum, um für den zweiten Kreuzzug zu werben. Von Frankfurt kommend, war der Zisterzienser am 2. Dezember 1146 in Freiburg eingetroffen. Im Reisebericht wird zweimal eine „ecclesia" – die Pfarrkirche – erwähnt, wo Bernhard die Messe besuchte und predigte, bevor er am 4. Dezember die Stadt verließ, um nach Konstanz weiterzureisen.

Das erste Münster

Für die Pfarrkirche der neuen Stadt war nördlich des „burgus" ein Platz abgesteckt worden, der Kirche und Friedhof aufnehmen sollte. Fundamente von Gebäuden, die bei Grabungen im heutigen Platzbereich beobachtet wurden, zeigen, dass der Münsterplatz im 12. und 13. Jahrhundert kleiner war und erst danach durch den Abbruch der bis an die Friedhofsmauer reichenden Gebäude seine jetzige Ausdehnung erhalten hat. Bei Bodenöffnungen im Inneren des Münsters, meist im Zusammenhang mit Baumaßnahmen, hat man im vorigen Jahrhundert zahlreiche Hinweise auf die Gestalt des ersten, „konradinischen" Münsters gefunden, das sich im Bereich des heutigen Langhauses bis an die Vierung erstreckte. Danach handelte es sich um eine dreischiffige Pfeilerbasilika von moderaten Dimensionen mit einem Westturm und einem ohne Querhaus anschließenden Dreiapsidenchor. Unsicher ist, ob Langhaus und Seitenschiffe gewölbt waren. Größe und Bautyp entsprechen durchaus dem üblichen Muster städtischer Pfarrkirchen zu Beginn des 12. Jahrhunderts. Dem Aussehen des ersten Freiburger Münsters sehr nahe kommt die Klosterkirche von Sankt Johann bei Zabern im Elsass (Saint-Jean-les-Saverne, Dept. Bas-Rhin).

Herzog Bertold IV. hatte der Stadt ihre von seinem Vater verliehenen Rechte bestätigt. In der frühestens 1152/53 verfassten Urkunde – ebenfalls verloren und anhand späterer Abschriften rekonstruiert – wurde erstmals das Maß der Hofstätten mit 50 × 100 Fuß (ca. 16 × 32 Meter) angegeben. Die Grabung auf dem „Harmonie"-Gelände im Süden der Altstadt bestätigte die zeitweilig angezweifelte planmäßige Aufteilung der Stadtquartiere in genormte Grundstücke. Um 1120 waren diese Parzellen mit Holzgebäuden besetzt, die nach und nach kleineren Steinhäusern wichen. Auch die zunächst hölzernen Nebengebäude in den Hofbereichen wurden allmählich in Stein erneuert, lediglich in den ärmeren und marktfernen Stadtquartieren blieben Holzgebäude noch länger üblich. Die

Idealer Blick von Oberlinden zum Schwabentor in seiner ursprünglichen Gestalt ohne stadtseitige Wand. Rekonstruktionszeichnung von Karl Gruber, 1944.

Hauptgebäude standen an der Straßenseite und waren meist mit den Giebeln zur Straße gerichtet. Die heute stadtbild-prägende Traufständigkeit der Häuser hat sich erst später als Brandschutzmaßnahme durchgesetzt.

Um 1200 – manche Straßen, etwa im Nordwesten Frei-burgs, waren noch weitgehend unbebaut – begann der weitere Ausbau der vorhandenen Stadtbefestigung. Die einfachen Tore wurden durch zeitgemäßere Anlagen mit monumentalen Tür-men ersetzt, denen landseits niedrige Toranlagen oder Zwin-ger in Form größerer ummauerter Höfe vorgelagert waren. Lediglich zwei der Tortürme sind erhalten geblieben. Im Win-ter 1201/02 wurde das Bauholz für das Martinstor geschlagen. Das Schwabentor ist etwa 50 Jahre jünger. Im Gegensatz zum Martinstor mit seinen allseits meterdicken Wänden dürfte der jüngere Turm zur Stadt hin offen gewesen sein und hat dort erst beim Einbau einer Turmuhr im 16. Jahrhundert eine im Vergleich zu den übrigen Seiten wesentlich dünnere Wand erhalten.

Zumindest ein Teil der fünf neuen Tortürme scheint hin-ter der Mauerflucht errichtet worden zu sein. Nachgewiesen ist dies archäologisch lediglich für das wohl erst gegen Ende des 13. Jahrhunderts entstandene Predigertor, dessen Funda-mente 1988 freigelegt und untersucht wurden. In jedem Fall stellen sowohl die im zweiten Viertel des 12. Jahrhunderts errichtete Mauer als auch die vom Beginn des 13. Jahrhun-derts an erbauten Tortürme jeweils sehr frühe Beispiele städti-scher Befestigung in monumentalen Bauformen dar.

Auch das noch kein Jahrhundert alte Münster sollte unter dem letzten Zähringer einem wesentlich anspruchsvolleren Neubau weichen, der sich nicht mehr die vergleichbaren klei-neren Stadtkirchen, sondern mit dem Basler Münster eine Kathedrale zum Vorbild nahm. Unklar ist, ob bereits bei Bau-beginn der Wunsch des Stadtherrn nach einer repräsentativen neuen Grablege für sich und seine Nachfolger eine Rolle gespielt hat, denn anders als alle seine Vorgänger ließ sich Herzog Bertold V. nicht im Hauskloster Sankt Peter beisetzen. Über die Gründe für diesen Abbruch einer langjährigen Tradi-tion ist nichts bekannt. Einen Streit mit den Benediktinern von Sankt Peter, der zur Verweigerung des Begräbnisses geführt hat, kann man jedenfalls ausschließen. Die Mönche gedachten des letzten Zähringers ebenso wie seiner Vorfahren.

Im Gegensatz zu seinem Vorgängerbau sind von dem unter Bertold begonnenen neuen Münster wesentliche Teile erhalten geblieben. Nahe am Basler Vorbild, von wo auch Mitarbeiter der Bauhütte nach Freiburg gekommen waren, zeigen sich die Ostteile des Neubaus, der nach 1200 begonnen wurde. Die Vorgängerkirche blieb noch geraume Zeit als Gottesdienstraum erhalten und wurde erst im Zuge des Baufortgangs von Osten her Stück für Stück abgebrochen. Am ausladenden Querhaus des Neubaus saß zwischen zwei achteckigen Chorflankentürmen die polygonale Apsis, die im 15. Jahrhundert dem Neubau des Chores weichen musste. Die Erdgeschosse der beiden Flankentürme („Hahnentürme") nahmen jeweils eine Kapelle auf. Einen Umgang oder eine Krypta wie in Basel gab es in Freiburg nicht, allerdings war der Chor in auffälliger Weise gegenüber der Vierung um über zweieinhalb Meter erhöht. Dies zeigt sich noch heute an den Türen in die oberen Räume der Chorflankentürme, die sich rechts und links im Vorchorjoch öffnen. Alle Teile des spätromanischen Neubaus sind über Rippen gewölbt, neben dem Rundbogen kommt der schon früh in der romanischen Architektur Burgunds eingeführte, statisch günstigere Spitzbogen zum Einsatz.

Der Aufriss des anschließenden Langhauses, das mit Sicherheit in den östlichen Jochen ausgeführt worden war, lässt sich an der inneren Westwand der Querhausarme ablesen und folgte wieder dem Basler Vorbild als eine über Kreuzrippen gewölbte Basilika mit zwei Spitzbogenarkaden pro Joch und Emporen über den Seitenschiffen, die sich in Dreierarkaden öffneten.

Auch von der ursprünglichen Ausstattung blieben bedeutende Teile erhalten: In den Fenstern des Südquerhauses sind noch heute Scheiben einer Wurzel-Jesse zu sehen, die aus dem Achsfenster des einstigen Chorpolygons stammen. Das silberne „Böcklin-Kreuz" im Chorumgang war entweder über dem Hochaltar oder als Triumphkreuz im Chorbogen angebracht.

Für die vor 1218 entstandenen Glasgemälde und das vor oder um 1200 geschaffene Kreuz darf Bertold V. als Auftraggeber vermutet werden, wenn auch schriftliche Belege hierfür fehlen.

Im Bereich des Chores wurde der Herzog nach seinem Tod im Februar 1218 beigesetzt. Wo genau dieses Grab lag – ob in der Vierung oder in der Apsis – ist nicht mehr bekannt. Beim Neubau des Chores drei Jahrhunderte später hat man es ins Südseitenschiff verlegt und dort die Liegefigur vom Grab eines Freiburger Grafen aufgestellt, die zum Denkmal für den Zähringer umgewidmet wurde. Dies zeugt vom hohen Maß der Verehrung, die man so lange nach dem Aussterben der Zähringer dem Initiator des Münsterbaus und der Familie der Stadtgründer entgegenbrachte.

Die Grafen von Freiburg als neue Stadtherren (1218 – 1368)

Der Übergang Freiburgs von den Zähringern an das Haus Urach erfolgte nicht völlig reibungslos, denn König Friedrich II. legte nach dem Tod des letzten Zähringers nicht nur umgehend seine Hand auf die Reichsburg Zähringen, sondern machte seinerseits Ansprüche auf das Erbe geltend und besetzte mehrere zähringische Orte wie Villingen, Neuenburg, Breisach und Bern. Im Sommer 1219 griff der Staufer sogar zu den Waffen und zog in den Breisgau, wohl um auch Freiburg in seinen Besitz zu bringen. Durch massiven Widerstand wurde er jedoch zum Einlenken gezwungen: In einer in Hagenau geschlossenen Übereinkunft bestätigte Friedrich den Grafen Egino I. von Freiburg als neuen Stadtherrn und versicherte die Bürger seiner Gunst und seines besonderen Schutzes. Dass er Letzteres mit einer eigens ausgestellten Urkunde tat, ist ein Beleg für die bestehende Eigenständigkeit der Bürger gegenüber ihrem Stadtherrn.

Freiburg wird größer – die Vorstädte

Unter den Grafen von Freiburg setzte sich der Ausbau Freiburgs weiter fort. Die restlichen Stadttore wurden mit wehrhaften und repräsentativen Türmen versehen, von denen lediglich das um 1265 erbaute Schwabentor erhalten geblieben ist. Zur selben Zeit ist die Mauer der 1252 erstmals erwähnten Neuburg errichtet worden, die als älteste und größte Stadterweiterung im Norden an die Kernstadt anschloss. Auch die Vorstadt war planmäßig angelegt worden und zeigte ein Netz sich rechtwinklig kreuzender Straßen mit einer in Verlängerung der Marktachse angelegten Hauptstraße. Hier befand sich die dem heiligen Nikolaus geweihte Pfarrkirche der Neuburg, die spätere Stadtansichten mit einschiffigem Langhaus, einem hohen mit Strebepfeilern besetzten Chor und einem gestuften Turm an der Südwestecke der Fassade zeigen.

Kurz vor 1300 ist die Mauer der im Süden zwischen Kernstand und Dreisam gelegenen „Schneckenvorstadt" fertig gestellt worden, die als einzige der mittelalterlichen Stadterweiterungen nicht für den Bau der barocken Festungsanlage niedergelegt worden ist. Ihre Struktur ist ganz von den beiden künstlich angelegten Gewerbebächen geprägt, die sie von Osten nach Westen durchströmen. Entlang der Kanäle befanden sich zahlreiche Mühlen. Neben den Müllern und später den Edelsteinschleifern hatten auch die Gerber ihre Werkstätten am Wasser.

Längs der nach Westen führenden Landstraßen vor dem Lehener Tor und dem Predigertor entstanden zwei weitere, zunächst eher bescheidene Ansiedlungen mit Gewerbetreibenden und Klöstern. Graben und Tore werden zwar bereits Ende des 13. Jahrhunderts genannt, die provisorische Befestigung ist

Das Stadtmodell im Museum für Stadtgeschichte zeigt Freiburg mit seinen Vorstädten um das Jahr 1600 vor den großen baulichen Veränderungen im und nach dem Dreißigjährigen Krieg.

jedoch erst im 16. Jahrhundert als Mauerring geschlossen worden. Im Gegensatz zur dicht besiedelten Kernstadt oder zur „Schneckenvorstadt" blieben in der Lehener- und Predigervorstadt sowie in der Neuburg größere Flächen innerhalb der Mauer unbebaut und wurden als Viehweide, Garten oder für den Weinbau genutzt.

Die Freiburger Wirtschaft im 14. Jahrhundert

Die erste Hälfte des 14. Jahrhunderts stellt einen Höhepunkt nicht nur in Freiburgs baulicher, sondern auch in seiner wirtschaftlichen Entwicklung dar. Nach dem Ausbau der Vorstädte lebten etwa 9000 Menschen in der Stadt. Der Fernhandel hatte für die städtische Wirtschaft kaum Bedeutung. Freiburg bildete allerdings das wirtschaftliche Zentrum des Breisgaus und sein Markt versorgte die Bürger der Stadt und die Bewohner des Umlandes. Bis ins 14. Jahrhundert spielte er sich weitgehend auf der „Großen Gass" ab. Danach verlagerte sich ein Großteil des Marktgeschehens auf den Münsterplatz, der im 16. Jahrhundert zum Hauptmarkt wurde.

Auf dem Markt versorgten sich die Bürger mit allen für das tägliche Leben notwendigen Dingen, die Freiburger Handwerker konnten hier ihre Produkte absetzen und man erhielt auch viele Waren, die von auswärts importiert wurden. Grundsätzlich galt für alles, was in Freiburg verkauft werden sollte, der Marktzwang, das heißt Waren durften nur auf dem Markt angeboten werden. Schaltstelle war das ursprünglich an der Schusterstraße gelegene Kaufhaus, wo die städtische Markt- und Finanzverwaltung ihren Sitz hatte. Jeder Kaufmann, der Waren einführte, hatte sie zunächst zum Kaufhaus zu bringen, wo sie gewogen, vermessen und mit Steuern und Zöllen belegt wurden. Auswärtige Händler konnten im Kaufhaus ihre Waren – gegen Entgelt – bis zur Weiterreise sicher lagern. An den Stadttoren wurden Zölle für Einfuhr und Ausfuhr erhoben.

Bis ins 14. Jahrhundert spielte auch der Bergbau im mittleren und südlichen Schwarzwald für die Stadt eine wichtige Rolle. Zahlreiche Freiburger Bürger beteiligten sich als Unter-

nehmer und Investoren an Silbergruben und Verhüttungs-
anlagen. Nach der Jahrhundertmitte ging das Engagement
zurück. Dies mag unter anderem den Problemen zwischen
der Bürgerschaft und den Grafen als Regalherren – das heißt
Inhabern des herrschaftlichen Bergrechts – zugeschrieben
werden.

Der Freiburger Rappen

Schon unter den Zähringern wurde in Freiburg Geld geprägt.
Die Münzstätte wurde spätestens unter Herzog Konrad eingerichtet, denn schon in der Mitte des 12. Jahrhunderts waren
Breisgauer Münzen im Umlauf und verdrängten die bis dahin
verbreiteten Basler Pfennige. Als Übername für den Freiburger
Pfennig war die Bezeichnung „Rappen" üblich. Es ist unklar, ob
dies auf das Münzbild, den als Rabenkopf umgedeuteten Adler
oder vielleicht auf das schwarz oxidierende Silber der Geld-
stücke zurückgeht. Jedenfalls wurde der „Rappen" zu einer
Leitwährung der ganzen Region und zum Namensgeber des
1402 geschlossenen Münzbundes, in dem sich Münzstätten im
Breisgau, im Elsass und in der Nordschweiz auf einen gemeinsamen Münzfuß einigten, um den Zahlungsverkehr und den
Handel zu erleichtern.
Beim Herrschaftswechsel 1218 verstärkte die Stadt offenbar
ihren Einfluss auf das an die neuen Stadtherren übergegangene
Münzrecht. 1220 ist mit Johannes Monetarius erstmals ein
Münzmeister genannt, der auch im Rat der Stadt saß. Im Jahr
1327 musste der Graf die Münzverwaltung ganz der Stadt überlassen. 1366 erhielt diese auch die Einkünfte aus der Münze,
nachdem sie zuvor die Schulden des Grafen übernommen
hatte. Konsequenterweise verliehen die Habsburger der Stadt
nach der Übernahme der Stadtherrschaft endgültig das Münzrecht, das bis ins 18. Jahrhundert ausgeübt wurde.

Nicht außer Acht gelassen werden darf die Rolle von länd-
lichem Grundbesitz und der daraus gezogenen Erträge bei der
Vermögensbildung der Stadtbürger, insbesondere des Stadtadels und der Patrizierfamilien. Davon profitierten auch die
Klöster, denen Grundbesitz oder Nutzungsrechte im Freiburger Umland übertragen wurden. Dies lässt sich beispielhaft in
dem 1327 angelegten Urbar (Güterverzeichnis) des Klosters

Adelhausen nachvollziehen. Diese Bindung des städtischen Vermögens an den ländlichen Raum, der im ausgehenden 14. Jahrhundert eine Agrarkrise durchmachte, ist neben der hohen Verschuldung durch den Herrschaftswechsel und dem Rückgang des Bergbaus eine der Ursachen für den wirtschaftlichen Niedergang der Stadt im Spätmittelalter.

Klöster in Freiburg

In die ersten Jahre der Grafenherrschaft fällt die Gründung nahezu aller bedeutenden Klöster der Stadt. Insbesondere die Bettelorden erfüllten wichtige Aufgaben im Gemeinwesen. Sie waren vor allem bei den Bürgern der Stadt beliebt, die sich hier – wie zuvor der Adel – quasi städtische Eigenklöster schaffen konnten. Die weit verbreitete Laienfrömmigkeit fand in den Klöstern einen Kristallisationspunkt. Hier konnte man geistliche Führung und seelsorgerische Betreuung finden, hier konnte durch fromme Stiftungen für die Sicherung des Seelenheils gesorgt werden bis hin zur Wahl eines Begräbnisplatzes in der Klosterkirche, im Kreuzgang oder auf dem Klosterfriedhof. Der Stadtadel, die Kaufleute, besonders aber die schließlich auch zu politischer Macht aufsteigenden Handwerkerfamilien stellten Konventualen der zahlreichen Männer- und Frauenklöster, die im Verlauf des 13. Jahrhunderts in Freiburg entstanden sind.

Im Nordwesten der Stadt hatten als Erste die Dominikaner (Prediger) bald nach 1236 von den Grafen unbebautes Gelände erhalten, auf dem sie ihr ausgedehntes Kloster errichteten. An den schlichten, einschiffigen Kirchensaal für die Laiengemeinde schloss sich ein umso aufwändigerer, gewölbter Mönchschor an, der sich im Osten zu einem Zentralraum über sieben Seiten eines Zehnecks weitete. Einige wenige der hervorragenden Scheiben aus seiner um 1300 gefertigten Farbverglasung sind erhalten geblieben und im Augustinermuseum zu sehen. Die nach der Säkularisierung erhalten gebliebenen baulichen Reste des Klosters sind 1944 endgültig zerstört worden.

1246 bezogen die Franziskaner (Barfüßer) westlich der Marktachse vier Hofstätten, die ihnen Graf Konrad I. zusammen mit der bestehenden Martinskapelle geschenkt hatte. Bereits 1229 waren sie nach Freiburg gekommen, hatten sich aber wegen eines Dekrets des Konstanzer Bischofs zunächst nicht innerhalb der Mauern niederlassen dürfen. Erste Baumaßnahmen sind schon für 1247 anzunehmen, da in diesem Jahr ein päpstlicher Ablass zugunsten des Baus von Kirche und Kloster erwähnt wird. 1262 übergab der Graf den Brüdern ein weiteres Grundstück an der „Großen Gass" zum Bau des neuen, noch heute vorhandenen Chors. Daran schloss sich nach Westen ein dreischiffig-basilikales, ungewölbtes Langhaus an, das erst nach 1318 auf die heutige Länge erweitert werden konnte. Die Konventsbauten wurden im 19. Jahrhundert abgebrochen, lediglich der Ostflügel des Kreuzgangs mit den angrenzenden Räumen blieb erhalten. Die 1944 zerstörte Kirche wurde wieder aufgebaut.

Die Augustinereremiten errichteten nach 1278 ihr Kloster auf einem langgezogenen Grundstück entlang der Stadtmauer bei Oberlinden. Wie die Franziskaner konnten die Eremiten ein bereits zuvor bebautes Gelände in bester Lage der Stadt nutzen. Bei Grabungen im Vorfeld der 2005 begonnenen Sanierung des Augustinermuseums wurden Keller und Mauern einer ganzen Häuserzeile freigelegt, die für den Bau der Klosterkirche abgebrochen worden war. Die mehrfach umgestaltete Kirche zeigte sich als großer flachgedeckter Saalraum mit eingezogenem, ebenfalls ungewölbtem Chor. Südlich der Kirche liegen die Konventsbauten mit dem gotischen Kreuzgang, der auch bei der Barockisierung des Klosters beibehalten wurde. Das Augustinereremitenkloster blieb als einzige Freiburger Bettelordensanlage in ihrer Gesamtheit bestehen und beherbergt seit 1923 das Augustinermuseum mit seinen bedeutenden Sammlungen zur Kunst und Kultur des Oberrheins.

In den Vorstädten Freiburgs siedelten sich ebenfalls eine Reihe von Klostergemeinschaften und Ritterorden an, wiederum unter Beteiligung der Stadtherrschaft und der führenden Schichten des Bürgertums, des Stadt- und des Landadels. In der östlichen Neuburg beim Johannestor lag die Johanniter-

Das Augustinereremitenkloster im Süden der Altstadt nach den Umbauten der Barockzeit ist in dem kolorierten Kupferstich von Johann Matthias Steidlin, entstanden zwischen 1720 und 1740, zu sehen.

kommende, im Norden beim Mönchstor das Deutschordenshaus. Nahe dem Christophstor hatten die Augustinerchorherren ihr kleines Allerheiligenkloster errichtet. In der Lehenerund Predigervorstadt befanden sich drei Frauenklöster: das Kloster Sankt Klara der Franziskanerinnen und das Kloster Sankt Agnes der Dominikanerinnen – beides Gründungen des späten 13. Jahrhunderts; schon 1247 bestand das Kloster der „Reuerinnen" von Sankt Maria Magdalena, das zunächst eine Gemeinschaft „gefallener" Frauen mit eigener Ordensregel darstellte und gegen Ende des 13. Jahrhunderts ebenfalls dem Dominikanerorden eingegliedert wurde.

Der bedeutendste Freiburger Frauenkonvent war jedoch derjenige der Dominikanerinnen von Mariä Verkündigung im

Dorf Adelhausen südlich von Freiburg. Erst 1245 wurde er in den Ordensverband aufgenommen, hatte aber schon zuvor bestanden und war aus einer Gemeinschaft von Beginen hervorgegangen. In solchen Gruppen führten fromme Frauen, häufig Witwen, ein gemeinschaftliches geistlich-caritatives Leben, ohne einer Ordensgemeinschaft anzugehören. Der Freiburger Bürger Heinrich Fasser, ein enger Berater der Gräfin Adelheid von Freiburg, stiftete das Geld zur Einrichtung des Adelhauser Klosters. Adelheid selbst trat 1240 in die Zisterzienserinnenabtei Günterstal ein, die wohl 1221 als Tochterkloster von Tennenbach gegründet worden war. Die Dominikanerinnen von Adelhausen wie die Zisterzienserinnen von Günterstal hatten bedeutenden Grundbesitz und Herrschaftsrechte in Freiburg und im Breisgau.

Neben den in der Stadt selbst gelegenen Klöstern gab es in Freiburg eine große Zahl von Höfen auswärtiger Klöster, die unter anderem der Verwaltung von Klosterbesitz und dem Sammeln von Abgaben dienten. Darunter finden sich schon früh die Zisterzienserabtei Tennenbach, später die Benediktiner von Sankt Peter, Sankt Blasien, Schuttern und viele andere mehr.

Das Spital

Zu den kirchlichen Einrichtungen der Stadt zählt auch das Heiliggeistspital. Ein Gründungsdatum ist nicht überliefert, vieles weist jedoch darauf hin, dass es schon lange vor 1200 bestanden hat. Durch Stiftungen, Zukauf von Liegenschaften, durch Geldgeschäfte wie Verleih gegen Zinsen oder die Vergabe von Leibrenten gegen entsprechende Zustiftungen und durch die Verpachtung von Liegenschaften mehrte das Spital seinen Besitz ständig und wurde zur wichtigsten sozialen Einrichtung der Stadt. Sein großes Gebäude mit eigener Kirche lag bis zur Verlegung an die Merianstraße 1803 zwischen Marktgasse und Münsterplatz im Norden der heutigen Münstergasse.

1318 erließ der Rat der Stadt eine Spitalordnung, die im

Kern bis ins 18. Jahrhundert gültig blieb. Sie regelte die Aufgaben des Spitals, deren Organisation und die Rechte und Pflichten der Spitalbediensteten und seiner Bewohner.

Der „schönste Turm auf Erden" – Bau und Finanzierung des Münsters

Beim Tod Herzog Bertolds V., der ja als einziger Zähringer im Münster beigesetzt war, waren die spätromanischen Ostteile und das anschließende Emporenlanghaus nach Basler Muster noch im Bau. Ein sofortiger Planwechsel nach dem Tod des Stadtherrn und mutmaßlichen Initiators des Neubaus ist unwahrscheinlich. Der Baubeginn des heutigen Kirchenschiffs ist um 1235 zu datieren, da erst zu diesem Zeitpunkt die entsprechenden Vorbilder am Langhaus des Straßburger Münsters für Freiburg wirksam werden konnten.

An die im Stil der Spätromanik erbauten Ostteile schließt nun unmittelbar die Architektur der Hochgotik an. Bei der Errichtung der gotischen Langhausjoche riss man die als Widerlager des Vierungsgewölbes notwendigerweise bereits erbauten Teile des geplanten romanischen Langhauses wieder ab. Für die Südseite ist ein bestehendes romanisches Doppeljoch auch archäologisch nachgewiesen. Die beiden östlichen Langhausjoche zeigen manche Eigenheiten, die man gern der mangelnden Erfahrung mit dem neuen Baustil zuschreibt. So ist das Fenstermaßwerk plattenartig und weist noch die Zierformen der romanischen Bauteile auf – ein Beleg, dass keine neuen Bauhandwerker, sondern die bestehende Bauhütte nach wohl aus Straßburg stammenden neuen Plänen arbeitete. Unsicherheit hat wohl auch bei der Ausführung des Strebesystems bestanden, offenbar wollte man die Pfeiler am Langhaus zunächst niedriger ausführen und die Strebebögen sehr tief am Obergaden anbringen. Die Ansätze sind unter dem Seitenschiffdach noch heute zu sehen. Die Balken des Dachstuhls, der üblicherweise vor dem Bau der Gewölbe errichtet wurde, um als Schutzdach und Baugerüst zu dienen, sind nach Ausweis der Dendrochronologie im Winter 1255/56 geschlagen worden. Nach der Einwölbung wurden die neuen Joche im Westen mit einer Mauer versehen, um sie zusammen mit dem bestehenden Chor für den Gottesdienst nutzen zu können.

Gleichzeitig mit den nach Westen anschließenden Langhausjochen ist der Unterbau des Westturms mit der Michaelskapelle entstanden, auf den der Glockenstuhl aus im Jahr 1291 geschlagenen Balken zunächst freistehend aufgesetzt wurde. So konnte er in den folgenden Jahren auch als Baugerüst für die Außenmauern verwendet werden. Bereits 1258 war die „Hosanna" gegossen worden, die bis zur Aufhängung im Glockenstuhl vielleicht in einem Gerüst bei der Baustelle hing. Eine plausible These ist auch, dass die neuen Glocken zunächst im Westturm des konradinischen Münsters gehangen hätten, der bis zur Fertigstellung des Glockenstuhls auf dem weiter westlich errichteten neuen Turm stehen geblieben sei.

Im Jahr 1301 sind die mächtigen Balken für den Dachstuhl über dem westlichen Teil des Langhauses gefällt worden, den man in der gleichen Art wie jenen über den Ostjochen aufführte. Danach wurden die Mittelschiffgewölbe der sechs westlichen Joche eingezogen und gegen 1320 dürfte das Langhaus vollendet gewesen sein. Der Oberbau des Turms war 1301 bis zum Absatz des Oktogons gediehen, denn der Langhausdachstuhl lehnte sich an die Turmmauer an. Im Anschluss baute man die Achteckhalle und den in offenes Maßwerk aufgelösten Turmhelm, der gegen 1340 vollendet gewesen sein dürfte. Der berühmte Basler Kulturhistoriker Jakob Burckhardt bezeichnete ihn im 19. Jahrhundert als „schönsten Turm auf Erden".

Münsterfabrik und Bauhütte

Die Organisation und Finanzierung des aufwändigen Bauwerks lag bei einer 1295 erstmals genannten Stiftung, die wohl schon unter den Zähringern begründet worden ist, „unser frauen werk" oder „Münsterfabrik" genannt. Der Fonds besteht bis heute und ist nominell der Besitzer des Münsters. Die Bauherrschaft ging ab der Mitte des 13. Jahrhunderts ganz von den Stadtherren an die Bürgerschaft über. Seit 1311 sind in den Urkunden der Stadt die vom Rat bestimmten Münsterpfleger als Aufsichtsgremium der Fabrik nachgewiesen. Der Hüttenherr,

Altstadt und Münster vom Schlossberg aus fotografierte Georg Röbcke um 1895.

auch „Magister operis" oder Münsterschaffner genannt, meist ein Kleriker, war als Geschäftsführer für den laufenden Betrieb zuständig. Das zentrale Gewerk war die Bauhütte, eine kleine Gruppe hochqualifizierter Steinmetzen und Bildhauer um den Werkmeister, der für die Planung verantwortlich war. Gelder flossen der Münsterfabrik unter anderem aus Spenden und Erbschaften zu; so war es üblich, das beste Gewand eines

Verstorbenen zugunsten des Münsters öffentlich zu versteigern. Zu den Aufgaben von Pflegschaft und Schaffner gehörten deshalb auch die Verwaltung von geschenktem oder ererbtem Grund- und Hausbesitz, der verkauft oder vermietet wurde, und die geschickte Anlage von Geldern zur Mehrung des Kapitals. Spenden wurden beispielsweise mit der „Bitt", einer um 1280 geschaffenen Reliquienmonstranz, gesammelt, mit der die Pfleger der Münsterfabrik, Kleriker, aber auch Mitglieder des Rates, der Zünfte und der Stadtverwaltung an bestimmten Festtagen umhergingen. Gegen einen entsprechenden Obulus durfte man die kostbaren Reliquien sehen oder berühren.

Trotz der starken Rolle der Bürgerschaft beim Bau ihrer Pfarrkirche haben auch die Grafen stets ihr massives Interesse am Münster dokumentiert. Seit der Mitte des 13. Jahrhunderts hatten sie intensiv ihr Patronatsrecht wahrgenommen, das seit den Zähringern eigentlich der Bürgerschaft zustand, und besetzten mehrfach die finanziell einträgliche Pfarrstelle mit ihren jüngeren Söhnen. Da diese nicht immer über die notwendigen Weihen verfügten, bezahlten sie aus ihren Einkünften einen Leutpriester, der die geistlichen Aufgaben erfüllte. Die vier Grafenskulpturen am Unterbau des Münsterturms versinnbildlichen den herrschaftlichen Anspruch der Grafen und stehen allgemein für fürstliche Tugend und weltliche Macht.

Die Turmvorhalle

Zu den wichtigsten Kunstschätzen des Münsters zählt der umfangreiche plastische Schmuck der Vorhalle im Untergeschoss des Westturms, den verschiedene Bildhauer zwischen 1280 und 1290 geschaffen haben. Der Figurenzyklus, dem ein ausgefeiltes theologisches Konzept zugrunde liegt, umspannt die ganze Heilsgeschichte, beginnend mit der Erschaffung der ersten Menschen. Zentrum des Programms ist Christus, der zunächst als Kind auf dem Arm der Gottesmutter am Mittelpfosten (Trumeau) des Portals erscheint, dessen Geburt, Leiden und Tod darüber zu sehen sind und der schließlich am Ende aller Tage zu Gericht sitzt. Die Seelen der Auferstandenen werden gewogen und je nach ihren Werken erlöst oder verdammt. Hier hat der Bildhauer den „betenden" Teufel dargestellt, der in

Der Unterbau des Münsterturms mit dem Eingang in die Turmvorhalle. An den Strebepfeilern beiderseits des Portals thronen idealisierte Porträtskulpturen der Grafen von Freiburg. Aufnahme von Georg Röbcke, um 1890/95.

Wirklichkeit die Hände ringt, weil sich die Waagschale nach unten neigt und ihm die erlöste Seele entgeht. Von diesem Freiburger Wahrzeichen mussten die Handwerksburschen berichten, um einen Aufenthalt in Freiburg nachzuweisen.

Auf den Arkaden der Seitenwände weist Christus den klugen Jungfrauen den Weg zur Kirche – hier wird die Auffassung vom Kirchengebäude als Abbild des Himmlischen Jerusalem deutlich – und die törichten Jungfrauen dienen als warnendes Beispiel für die gläubigen Betrachter ebenso wie die nackte Wollust und der nach vorne schöne und elegante, hinterrücks aber von Schlangen und Ungeziefer zerfressene „Fürst der Welt". Gegenbilder sind die Heiligen, die im Glauben die Sünde bereits überwunden haben. In ihnen finden die Gläubigen Hilfe und Stärkung. Das zur Auslegung und zum Verständnis des Programms notwendige Wissen mögen schließlich die sieben freien Künste an der Südwand repräsentieren – Grammatik,

45

Rhetorik und Dialektik, Geometrie, Musik, Arithmetik und Astronomie.

Figuren und Architektur waren von Anfang an farbig gefasst. Die heutige Fassung stammt von Fritz Geiges aus den Jahren 1887/1889 und geht auf eine Neubemalung von 1604 zurück. Zwischen 1999 und 2004 wurde die Vorhalle mit großem Aufwand restauriert.

Stadtherr, Bürgerschaft und Rat

In der Mitte des 13. Jahrhunderts war es zu einem Aufbegehren von Teilen der Freiburger Bürgerschaft gekommen, die sich von der Beteiligung am Gemeinwesen ausgeschlossen fühlten. Bis dahin hatten nur die Mitglieder einiger weniger Familien den 24-köpfigen Rat der Stadt besetzt. Ein solcher Sitz wurde lebenslang gehalten, beim Tod des Inhabers bestimmte der Rat selbst über die Neubesetzung aus dem Kreis der ratsfähigen Geschlechter. Zu diesen zählten die Snewelin, die von Krozingen, von Tuslingen und von Munzingen, die Fasser, Kotz, Morser, Beischer, Kolman und Küchlin. Die „consules" und ihre Familien standen wie zuvor den Zähringern nach 1218 dem gräflichen Haus nahe und unterstützen dessen Politik als wichtiges Beratergremium. Im Verlauf des 13. Jahrhunderts stiegen einige dieser Familien in den Ritterstand auf und damit von der bürgerlichen Oberschicht in den Adel.

Neben den ratsfähigen, nun teilweise ritterlichen Kreisen hatten weitere Freiburger Familien vor allem durch ihren Besitz großes Ansehen erworben und tauchten immer häufiger als Zeugen in städtischen Urkunden und als Stifter auf. Der Zugang zu politischen Entscheidungen blieb ihnen jedoch verwehrt. Im Frühjahr 1248 erhoben sie Klage gegen den Rat der Vierundzwanzig, dessen Mitglieder nach ihrer Auffassung ihr Amt nicht zum Wohl des Gemeinwesens, sondern zum eigenen Nutzen geführt hätten, ohne die Zustimmung und den Rat der Bürgerschaft einzuholen. Das Ergebnis der Klage war eine Reform der Ratsverfassung, die schließlich im Münster beschworen wurde: Das Gremium der „Alten" Vierundzwanzig blieb bestehen und wurde auch weiterhin von den Rats-geschlechtern besetzt. Beigeordnet wurde ihm ein ebenfalls aus 24 Personen bestehender Rat, die „Neuen" oder „Nach-gehenden" Vierundzwanzig, die jährlich oder halbjährlich je nach Maßgabe der Gemeinde neu zu wählen waren. Verwaltung und Rechtsprechung blieben in der Zuständigkeit der „Alten" Vierundzwanzig, waren aber der Kontrolle des neuen Rates unterworfen. Ohne Mitwissen des gesamten Gremiums konnten nun keine Beschlüsse mehr gefällt werden.

Im Konflikt mit Rudolf von Habsburg, der 1273 zum König gewählt worden war, standen die Bürger aufseiten ihres Stadtherrn, des Grafen Egino II. von Freiburg. 1281 belagerte der Habsburger mit einem starken Heer die Stadt und zwang sie zur Übergabe. Als Sühne für die 1275 gemeinsam mit dem Grafen zerstörte Burg Zähringen musste Freiburg nahezu 2000 Mark Silber für deren Wiederaufbau, den Bau einer weiteren Burg sowie eine Zahlung an das bei der Belagerung schwer geschädigte Kloster Adelhausen aufbringen.

Trotz der bewiesenen Loyalität seiner Bürger verweigerte Egino II. die Bestätigung der Stadtrechte, die ihm 1275 in schriftlicher Form vorgelegt worden waren. Nach einem zwei-ten vergeblichen Vorstoß wandten sich die Freiburger 1282 direkt an König Rudolf, der daraufhin am 10. November von Worms aus den Bürgern und der Stadt Freiburg das Recht der Stadt Colmar und anderer Städte des Reichs verlieh, und ihnen ferner alle „Gewohnheiten, Rechte und Gnaden" bestätigte, die sie bis dahin erhalten hatten. Die Haltung des Grafen von Freiburg, der zudem noch die Steuern erhöhte, ist Ausdruck eines lange währenden Konfliktes zwischen Bürgerschaft und Stadtherren, der sich in den nächsten Jahren unter seinen Nachfolgern noch steigern sollte und schließlich zum Ende der gräflichen Herrschaft führte. Ihren zunehmend verschul-deten Herren konnte die Bürgerschaft dabei immer mehr Rechte abverlangen.

Mit der Stadtverfassung von 1293 wurde eine weitere wichtige Gruppe der Bürgerschaft an der Verwaltung der Stadt beteiligt: die Zünfte. Sie stellten ein Drittel des nun mit acht Adligen, acht Kaufleuten und acht Handwerkern besetzten

Gremiums der „Nachgehenden" Vierundzwanzig. Das 1291 erstmals urkundlich fassbare Amt eines Bürgermeisters als Spitze der Bürgerschaft und das des Schultheißen als Vorsitzendem des Gerichts blieben allerdings noch lange in der Hand weniger, dem Ritterstand angehörender Familien. Eine „Gerichtslaube" als Tagungsort wird erstmals 1280 genannt. Dieses in der Tat als offene Laube gestaltete und damit jedermann zugängliche Gebäude stand auf der Marktgasse in der Nähe des Martinstors.

Offener Kampf der Bürger gegen den Stadtherrn

Nach dem Tod Rudolfs von Habsburg 1291 hatten die Kurfürsten nicht seinen Sohn Albrecht, sondern Adolf von Nassau zum König gewählt. In der nun folgenden Auseinandersetzung zwischen dem König und dem Herzog unterstützten Graf Egino II. und sein Sohn Konrad den 1297 am Oberrhein agierenden Habsburger, während die Stadt ihre Tore vor Albrechts Heer verschloss. In der Schlacht auf dem Hasenbühl bei Göllheim (Pfalz) fand König Adolf am 2. Juli 1298 den Tod, und Albrecht bestätigte seinen Mitstreitern Egino und Konrad von Freiburg alle Rechte über Land und Leute ihrer Herrschaft.

Der Krieg hatte die Finanzen des Grafen weiter zerrüttet, doch die Bürger verweigerten weitere Zahlungen. Anfang Juli 1299 belagerte Egino II. seine Stadt und konnte dabei auf die Hilfe eines schlagkräftigen Verbündeten bauen: seines Schwagers Konrad von Lichtenberg, des Bischofs von Straßburg, der mit einem Heer bei den Dörfern Lehen und Betzenhausen aufgezogen war. Bei einem Ausfall der Freiburger am 29. Juli 1299 wurde der Kirchenfürst tödlich verwundet und seine Truppen zogen sich zurück. Konrad erlag zwei Tage später in Straßburg seiner Verletzung. An den Tod des Bischofs, mit dem sich später zahlreiche Legenden verbanden, erinnern noch heute das „Bischofskreuz" und die „Bischofslinde" an der Straße nach Betzenhausen. Für die zahlreichen Freiburger, die bei der „Schlacht von Lehen" gefallen waren, wurden im Münster und im Heiliggeistspital Gedenkstiftungen errichtet.

Metzger Hauri

In der berühmten Chronik der Stadt Straßburg von Jakob Twinger von Königshofen aus dem Jahr 1415 und in Johann Sattlers 1514 publizierter Freiburger Chronik wird der Tod des Straßburger Bischofs Konrad von Lichtenberg am 29. Juli 1299 auf dem Schlachtfeld bei Betzenhausen beschrieben: Einem Freiburger Metzger sei es gelungen, den noch nicht zum Kampf gerüsteten Bischof hinterrücks mit einem Spieß vom Pferd zu stechen.

Erst 1671 veröffentlichte ein Universitätsprofessor die Vermutung, der Metzger habe der Familie Hauri angehört. Obwohl es weder für den genauen Tathergang noch für den Beruf des „Helden von Lehen" oder gar für dessen Namen einen zeitgenössischen urkundlichen Beleg gibt, hat sich diese lokale Tradition bis heute nicht wieder auslöschen lassen. Ebenso wenig fundiert ist die Legende, dass zum Dank für diese Tat, mit der die Stadt vor der Eroberung durch das Heer des Grafen gerettet worden sei, die Metzger seither die Fronleichnamsprozession als Erste der Zünfte anführen dürften.

Abgesehen davon, dass das Fronleichnamsfest erst im Laufe des 14. Jahrhunderts eingeführt worden ist, war der Vorrang der Metzger auch in anderen Städten durchaus üblich. Unter den ja ursprünglich zur Selbstverteidigung der Städte gebildeten Zünften galten die an Blut gewöhnten Metzger als die Tapfersten. Die Tötung eines Bischofs – nach den jüngeren Schilderungen eher ein Attentat als eine Kampfhandlung – war auch in Kriegszeiten ein schweres Delikt, das keine solche Ehrung nach sich ziehen konnte. Dass dies schon 1299 so empfunden wurde, zeigt unter anderem die Errichtung des Sühnekreuzes auf dem Schlachtfeld.

Noch war aber keine Entscheidung gefallen. König Albrecht nahm Freiburg in die Reichsacht und am 12. September 1299 wurde ein Waffenstillstand geschlossen, an dessen Zustandekommen der Nachfolger Konrads im Straßburger Bischofsamt, sein Bruder Friedrich von Lichtenberg, maßgeblich beteiligt war. Der König bestätigte im Januar 1300 alle Rechte und Freiheiten, darunter auch das von seinem Vater Rudolf 1282 verliehene Stadtrechtsprivileg. In einem Sühneabkommen verpflichtete sich die Stadt gegenüber dem Grafen zu erhöhten jährlichen Steuerleistungen. Um in der Zukunft weitere aus Streitigkeiten hervorgehende Fehden zu vermeiden, wurde im

Sühnebrief vereinbart, solche Fälle einem Schiedsgericht vorzulegen.

Im Gegenzug konnten die Bürger wichtige Vorteile erzielen: Der Graf stellte sie 1301 von fremden Gerichten frei – Rechtsstreitigkeiten mit Freiburgern hatten nur noch beim hiesigen Schultheißengericht verhandelt zu werden – und der Stadtherr verzichtete auf das Recht zur Ernennung von Bürgermeister und Zunftmeister, die fortan vom Rat und von den Zünften direkt gewählt werden durften. So war Egino II. abermals durch die finanzielle Notlage gezwungen worden, Machtbefugnisse abzugeben und die Selbstverwaltung der Stadt zu erweitern. Die Preisgabe von Herrschaftsrechten – teilweise gegen Zahlungen an die notorisch klamme gräfliche Kasse – setzte sich auch unter seinem Sohn Konrad II. fort, dem der Vater 1316 nicht ganz freiwillig die Herrschaft übertragen hatte. So verpflichtete sich Konrad 1327 gegen eine Zahlung von immerhin 4000 Mark Silber unter anderem, Burg und Stadt Freiburg mit den zugehörigen Rechten weder zu verpfänden noch zu verkaufen, er übergab die Freiburger Münzstätte den Bürgern und verlieh der Stadt das wichtige Recht zur freien Bündniswahl.

Juden in Freiburg

Bereits in der zweiten Hälfte des 13. Jahrhunderts hatten sich erstmals Juden dauerhaft in Freiburg niedergelassen. Im Jahr 1300 garantierte Graf Egino II. ihnen seinen besonderen Schutz. Da den Freiburger Juden wie auch andernorts der Zugang zu den Zünften verwehrt war, beschränkte sich ihre Tätigkeit weitgehend auf Finanzgeschäfte. So versorgten sie als Kreditgeber oder Bürgen vor allem den Grafen, aber ebenso Adlige und Bürger mit Kapital. Ein geschlossenes jüdisches Wohnviertel gab es anscheinend nicht, auch wenn sich jüdischer Hausbesitz in der Nähe der 1349 erwähnten Synagoge an der heutigen Wasserstraße konzentrierte.

Unter den zahlreichen, die Juden in Freiburg betreffenden Dokumenten ist der von den Grafen Konrad und Friedrich

ausgestellte und auch von der Stadt gesiegelte Sicherungs-
brief vom 12. Oktober 1338 das bedeutendste. Der jüdischen
Gemeinde werden darin eine Reihe von Rechten zugestanden
und garantiert, unter anderem Autonomie bei der Regelung
ihrer inneren Angelegenheiten, freie Ausübung ihrer Geschäfte und Schutz vor Diskriminierung, etwa durch karikie-
rende Darstellungen in den Passionsspielen.

Das Pogrom von 1349

Die großzügig gewährten Privilegien und der Schutz des Stadtherrn bewahrten die Juden nicht dauerhaft vor dem Misstrauen
der Bevölkerung, vor Diskriminierung und Verfolgung. Nach
dem Ausbruch der großen Pestepidemie, die ganz Europa
überzog, hatte es in Südfrankreich 1347 erste Pogrome gegeben und es verbreitete sich das böse Gerücht, die Juden
hätten die Brunnen vergiftet und so die Seuche verursacht. Am
1. Januar 1349 wurden in Freiburg alle Juden verhaftet und in
einem schnell durchgezogenen Verfahren abgeurteilt. Die „Ge-
ständnisse" waren in intensiven Verhören, teils unter Folter
erpresst worden. Am 30. Januar wurden fast alle Juden verbrannt – lediglich die schwangeren Frauen und die zwölf
Reichsten unter ihnen blieben verschont. Was mit Letzteren
geschah, ist unbekannt, vermutlich haben sie die Stadt verlassen. Urkundliche Belege gibt es dagegen für getaufte Juden-
kinder, die unter christliche Vormundschaft gestellt wurden.
Die Hoffnung mancher Bürger, durch den Tod der wichtigsten
Geldgeber auch ihre Schulden los zu sein, erfüllte sich indes
nicht: Der Rat legte fest, dass diese zwar gemindert werden,
aber der Stadt zufließen sollten. Der Schultheiß Johannes
Snewelin und der Schuhmacher Mattmann als Anführer der
unzufriedenen Handwerker versuchten, gegen den Ratsbe-
schluss einen Aufstand anzuzetteln, der jedoch scheiterte. Die
Rädelsführer wurden aus der Stadt verbannt und fünf Ver-
wandte Snewelins sowie vier weitere Ritter verloren für immer
ihren Sitz im Rat.

Die Ereignisse vom Januar 1349 bedeuteten nicht das Ende
der jüdischen Gemeinde in Freiburg. Dieses brachte erst die
„Ewige Vertreibung", mit der König Sigismund am 22. Februar
1424 die Stadt von der Verpflichtung zur dauerhaften Auf-

nahme von Juden innerhalb der Mauern befreite. Erst 1809 sollte handeltreibenden Juden der ständige Aufenthalt in Freiburg wieder erlaubt werden.

Das Ende der Grafenherrschaft

Auf den 1350 hochbetagt verstorbenen Grafen Konrad II. folgte sein Sohn Friedrich, dem aufgrund der über Jahre angesammelten hohen Schulden und zahlreicher Pfandlasten nur noch wenig politischer und finanzieller Spielraum gegenüber der Stadt verblieben war. Im Gegenteil: Die Bürger konnten weitgehend selbstständig agieren und dem stets auf ihre Zahlungen angewiesenen Stadtherrn ihre Forderungen und Wünsche mehr oder weniger diktieren.

Die Herrschaft der Grafen von Freiburg endete in erneuten kriegerischen Auseinandersetzungen. Die Grafen waren durch die schlechte wirtschaftliche Basis ihrer Herrschaft gegenüber der Stadt in immer größere Abhängigkeit geraten, die ihre Stellung als Stadtherren völlig untergrub. Im Frühjahr 1366 war noch versucht worden, den ständigen Streit um den Führungsanspruch zwischen Stadt und Graf auf dem Verhandlungsweg friedlich beizulegen, doch zwischen Ostern und Pfingsten 1366 zerstörte das städtische Heer aus Bürgern und eigens angeworbenen Söldnern die gräfliche Burg auf dem Schlossberg. Eine Chronik aus dem 15. Jahrhundert nennt den Anlass: Graf Egino III. hatte versucht, durch Bestechung eines Torwächters in die Stadt einzudringen, um seine Interessen mit Gewalt durchzusetzen. Ein kurzer Waffenstillstand im Juni 1366 beendete zunächst den Kampf, weitere Friedensverhandlungen brachten jedoch keinerlei Einigung.

Bertold Schwarz
Bei der Zerstörung der Grafenburg auf dem Sporn des Schlossbergs sollen lokaler Überlieferung zufolge erstmals in Freiburg mauerbrechende Waffen verwendet worden sein, die das von dem Franziskanermönch Bertold Schwarz in Freiburg erfundene Schießpulver nutzten. Zum angeblichen 500. Jahrestag der Erfindung wurde 1853 das Denkmal auf dem Franziskanerplatz, dem heutigen Rathausplatz, aufgestellt.

Im Jahr vor dem 500-jährigen Jubiläum der angeblichen Pulvererfindung durch Bertold Schwarz setzten die Freiburger dem Mönch 1853 ein von Alois Knittel gestaltetes Brunnendenkmal auf dem Franziskanerplatz (heute Rathausplatz). Aufnahme von Gottlieb Theodor Hase, um 1870.

Um den „Erfinder des Schwarzpulvers" und seine Tätigkeit in Freiburg ranken sich viele Legenden. So soll er das explosive Gemisch bei der Suche nach Gold zufällig entdeckt haben. Wie andere Sagen hat die Geschichte einen wahren Kern: In Freiburg ist zu Beginn des 15. Jahrhunderts die Herstellung von Geschützen und der Guss von Kugeln nachgewiesen. Der bei Freiburg betriebene Bergbau macht auch einen hier tätigen Chemiker (Nigromant, Schwarzkünstler) plausibel, der unter anderem mit neuen, wirksameren Mischungen des Pulvers experimentierte, das schon seit dem 11. Jahrhundert in China verwendet wurde und seit dem 13. Jahrhundert in Europa bekannt war.

In einem um 1400 verfassten, allerdings nur durch spätere Abschriften überlieferten „Feuerwerksbuch" wird eine „Steinbüchse" beschrieben. Der Mörser, mit dem man Steinkugeln bis zu zweieinhalb Kilometer weit schleudern konnte, wurde danach um 1375/80 von einem „niger Berchtoldus" erfunden. Nach einer 1444 entstandenen Version des Traktats ist dieser Bertold als Bernhardinermönch 1388 in Prag vor ein kaiserliches Gericht gestellt und zum Tod verurteilt worden. Seine Beschäftigung mit der „Schwarzen Kunst" hatte den Chemiker zum Ketzer gestempelt, der dem Tod auf dem Scheiterhaufen anheim fiel.

Mit über 50 besoldeten Rittern und Edelknechten hatte Freiburg 1367 seine Kampfkraft ausgebaut. Während der Landadel und einige Freiburger Adelsfamilien weitgehend zu Graf Egino III. hielten, standen die Städte des Breisgaus auf der Seite von Freiburg. Dazu kamen die Bündnispartner Neuenburg am Rhein, Basel und Bern. Im Herbst 1367 belagerten die Freiburger mit den Verbündeten – lediglich Bern war nicht rechtzeitig erschienen – die von Truppen des Grafen besetzte Stadt Endingen am Kaiserstuhl, als das gräfliche Heer aufzog. Die Freiburger unternahmen einen strategischen Rückzug, wurden aber am Lukastag (= 18. Oktober) vernichtend geschlagen. Da die Stadt jedoch wegen ihrer starken Mauern nicht einzunehmen war, suchte die gräfliche Seite schließlich den Ausgleich mit den Bürgern: Ein Sühnevertrag ebnete Freiburg im Frühjahr 1368 den Weg unter den Schutz des Hauses Habsburg.

Der neue Chor des Münsters

Nachdem der schon von den Zeitgenossen bewunderte Westturm um 1330 fertig gestellt war, begann man in der Mitte des 14. Jahrhunderts trotz der Auseinandersetzungen mit den Grafen und der großen Pest von 1348/49 mit dem weiteren Ausbau des Münsters und plante schließlich den Neubau eines Chores von kathedralhaftem Anspruch, eines der gewaltigsten Bauprojekte jener Jahre in der gesamten Region. Immerhin sollte die Länge der Kirche verdoppelt werden, weshalb auf der Ostseite des Münsterplatzes eine ganze Häuserzeile weichen musste.

Das Münster und die Parler

Als Entwerfer des neuen Freiburger Chors gilt allgemein Meister Johannes (Hans) von Gmünd. Er wird zum engeren Kreis der Parler gezählt. Der Name geht auf einen Funktionsträger in den Bauhütten zurück, den „Parlier" als Sprecher der Werkleute (von frz. „parler" = sprechen), und taucht erstmals zu Beginn des 14. Jahrhunderts in der Kölner Dombauhütte auf. Dort wirkte auch Meister Heinrich, der als Begründer der Familie gilt. Sein in Köln oder Schwäbisch Gmünd geborener Sohn Peter wurde 1356 von Kaiser Karl IV. an die Prager Dombauhütte berufen, um den von Matthias von Arras begonnenen Veitsdom weiterzuführen. Johannes von Gmünd, der zwar das Siegel der Familie, jedoch nicht den Namen selbst führte, war wohl ein älterer Bruder von Peter Parler.

Nach dem großen Erdbeben, das am 18. Oktober 1356 den Oberrheingraben erschüttert hatte, war Johannes von Gmünd mit der Reparatur des schwer beschädigten Basler Münsters beauftragt worden, die er 1363 abschloss. Am 8. Januar 1359 siegelte Meister Johannes einen Vertrag mit der Stadt Freiburg. Es ist der erste Arbeitsvertrag eines Münsterwerkmeisters, der im Archiv des Münsters erhalten blieb. Johannes verpflichtete sich darin auf Lebenszeit als *diener und werkmeister des nuwen chores und des buwes desselben gotzhauses zuo ünsrer frauen münster*. Festgelegt wurden unter anderem die Lohnfortzahlung im Krankheitsfall und eine Altersversorgung. Der Werkmeister bezeichnete sich in dem Vertrag bereits als „Bürger zu Freiburg". Dies kann man als Hinweis deuten, dass er schon vor der lebenslangen Verpflichtung im Rahmen nicht erhaltener befristeter Verträge für das Freiburger Münster tätig gewesen ist, also durchaus die Pläne für den Chor gefertigt haben kann.

Mit der Peter- und Paulskapelle am Nordquerhaus begann in Freiburg in den 1340er-Jahren die Spätgotik. Auch die Aufsätze der Hahnentürme weisen in ihrer Neuinterpretation der Hauptturmpyramide Merkmale des Spätstils auf. Der Grundstein zum neuen Chor wurde *an unser frowen abendt in der vasten* (= 24. März) 1356 gelegt. Dieses Datum nennt eine lange Inschrift am Chornordportal. Die elf um einen Umgang angeordneten Kapellen wurden von wohlhabenden und bedeutenden Freiburger Familien genutzt und über Stiftungen finanziert.

Trotz des finanziellen Engagements der Bürgerschaft wirkten sich die Zeitläufte auf den Baufortgang aus. Zunächst kam man offenbar gut voran und führte nach der Fundamentierung die Außenwände des Chores mit ihren charakteristischen zwischen den Strebepfeilern im Zickzack vorspringenden Kapellenwänden auf. Bis etwa 1370 waren sie auf die gesamte Chorlänge gerade über die Höhe der Fensterbänke hinaus gediehen, lediglich die direkt an das Südquerhaus anschließende Sakristei hatte schon Traufhöhe erreicht. Die Baustelle im Inneren des Chores war nun nur noch durch die beiden Portale im Norden und Süden erreichbar, die bereits in voller Höhe und mit reichem Skulpturenschmuck ausgeführt waren.

Ab etwa 1370 kamen die Arbeiten ins Stocken. Zwar scheint die Baustelle nicht wie lange in der Literatur angenommen für ein ganzes Jahrhundert völlig brachgelegen zu haben, doch hat man offenbar bis zur Wiederaufnahme des vollen Baubetriebs im Jahr 1471 nur wenige Maßnahmen wie den Bau der Pfeilersockel ausgeführt. Für diese sporadischen Arbeiten wurde wohl gelegentlich ein Meister von auswärts nach Freiburg gerufen, ein regelmäßiger Bauhüttenbetrieb ist jedenfalls nicht nachweisbar. Die Pflegschaft als Aufsichtsgremium über die Münsterfabrik blieb dagegen über die ganzen Jahre bestehen.

Freiburg unter den Habsburgern (1368–1803)

Dem freiwilligen Herrschaftswechsel der Stadt ging die Einigung mit Graf Egino III. voraus. Die Stadt musste ihm zum Ausgleich für den Verlust von Burg und Herrschaft Freiburg für 25 000 Gulden die Herrschaft Badenweiler kaufen. Darüber hinaus waren dem Grafen für die Ablösung der Herrschaftsrechte 15 000 Mark Silber und weitere 5000 Mark für die Auslösung von Gefangenen zu zahlen. Es dauerte fast zwei Jahrhunderte bis sich die Stadt von diesem Aderlass erholte.

Unter den Herzögen Albrecht III. und Leopold III. von Österreich, die gemeinsam die Herrschaft über die österreichischen Länder ausübten, mussten einerseits Einschnitte hingenommen werden – so verlor Freiburg sein Recht zur freien Bündniswahl –, andererseits konnte die Stadt nach innen weitgehend frei agieren. Als eine der größten Städte der Region konnte sich Freiburg zudem eine führende Rolle in Vorderösterreich sichern. Die hohen Summen, die der Stadt durch den Freikauf von den Grafen aufgebürdet waren, belasteten den Haushalt aber auf Jahre hinaus. Verschärft wurde die schlechte Wirtschaftslage der Stadt durch zunehmend geringere Erträge aus dem Bergbau. Der durch die sinkenden Gewinne verursachte allmähliche Rückzug der Kaufleute aus Freiburg führte zu einem nicht unerheblichen Rückgang der Einwohnerzahl im letzten Drittel des 14. Jahrhunderts.

Auch Mitglieder zahlreicher Familien des Stadtadels verließen in den ersten Jahren der Habsburger Herrschaft die Stadt und zogen in den Breisgau. Hinzu kam der Tod zahlreicher Freiburger Kaufleute und Patrizier in der Schlacht bei Sempach im Sommer 1386. Bei dem kleinen Städtchen nördlich des Vierwaldstätter Sees war das Heer der Österreicher unter Herzog Leopold III. gegen die Armee der Eidgenossen aufgezogen. Dem 1291 geschlossenen Bündnis der Kantone Uri, Schwyz und Unterwalden, das schon 1315 bei Morgarten gegen Herzog Leopold I. von Österreich, den Großvater Leo-

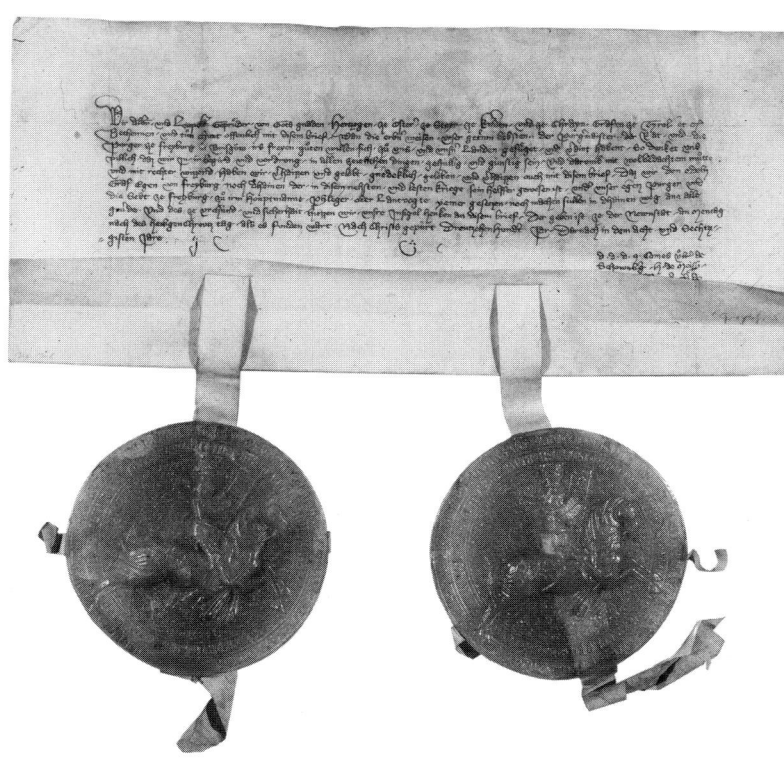

In einer Urkunde vom 8. Mai 1368 versichern die Herzöge Albrecht und Leopold von Österreich der freiwillig zu ihren Landen gefügten Stadt Freiburg, weder den Grafen noch einen seiner Helfer als Hauptmann, Pfleger oder Landvogt einzusetzen.

polds III., gesiegt hatte, waren nach und nach weitere Orte beigetreten, darunter 1332 auch der seit 1291 österreichische Stadtstaat Luzern, der begonnen hatte, sein Territorium durch Bündnisse, Kauf und Eroberung zu erweitern und sich allmählich von Habsburg zu lösen. Am 9. Juli 1386 schlugen die leicht bewaffneten und beweglichen Eidgenossen das hochgerüstete, aber schwerfällige Ritterheer der Habsburger. Mit dem Sieg bei Sempach hatte die Eidgenossenschaft einen wichtigen Schritt zur endgültigen Lösung vom Haus Habsburg vollzogen.

Der Rückzug des Freiburger Stadtadels aufs Land und der Aderlass bei Sempach führten schließlich zu einer weitgehenden Verdrängung dieser Gruppe, die bis dahin den Rat in vielen Bereichen dominiert hatte, aus dem Führungsgremium der Stadt.

Martin Malterer und die Schlacht von Sempach

Beispielhaft für das Schicksal des Freiburger Stadtadels bei Sempach ist der Ritter Martin Malterer. Sein Standbild an der 1901/02 neu gebauten Schwabentorbrücke zeigt ihn stehend über der Leiche des bereits im Kampf gefallenen Herzogs Leopold III. von Österreich, die er bis zu seinem eigenen Tod verteidigt haben soll. In der Hand hält Malterer das Freiburger Stadtbanner mit dem Georgskreuz, das noch heute als Beute der Schweizer im Luzerner Zeughaus aufbewahrt wird.

Der 1335/36 geborene Martin Malterer stammte aus einer der bedeutendsten Freiburger Familien, sein Vater Johannes hatte durch Grundstücksgeschäfte und Beteiligung am Silberbergbau ein großes Vermögen erworben. Durch Heirat war die Familie mit bedeutenden Adelsgeschlechtern verbunden und stieg selbst in den Adel auf. Malterer hatte wie viele seiner Standesgenossen in dem Konflikt zwischen Stadt und Grafenhaus die Position des gräflichen Stadtherrn vertreten, der sein Lehnsherr in Eichstetten war. Als Lehnsmann der Habsburger zählte er zu den Günstlingen Herzog Leopolds III., der ihn 1381 zum Landvogt im Elsass und im Breisgau ernannte. An der Seite seines Herrn zog Malterer in die Schlacht gegen die Eidgenossen. Mit ihm fielen bei Sempach zahlreiche weitere Freiburger Edelleute. Von 18 zuvor im Rat sitzenden Rittern waren ganze acht übrig geblieben.

Die Zünfte und die Ratsverfassung

Seit 1338 hatte der Zunftzwang für alle Einwohner der Stadt bestanden. Die Zünfte dienten zunächst in erster Linie der Verteidigung der Stadt. Als Kommandanten wählten die Zünfte den Obristzunftmeister. Im Rat hatten nach wie vor die „Alten" Vierundzwanzig mit Adel und Kaufleuten das Sagen; die in den „Nachgehenden" Vierundzwanzig vertretenen Zunftmeister besaßen zwar ein Mitspracherecht in verschiedenen Angelegenheiten, aber insgesamt eine nur eingeschränkte politische Macht. Die Schwächung des Adels bot nun die Gelegenheit, dies zu ändern: Am 6. Januar 1388 erfolgte eine radikale Umbesetzung des Rates, die den Zünften vorübergehend die Mehrheit sicherte.

Herzog Albrecht III. von Österreich, der nach dem Tod seines Bruders Leopold III. bei Sempach 1386 die Herrschaft für den noch unmündigen Neffen Leopold IV. wahrnahm, bestätigte 1392 in dessen Namen die Privilegien der Stadt und änderte die Verfassung von 1388 dahingehend, dass nun im Rat zwischen Kaufleuten und Adel einerseits und den Zünften andererseits ein Gleichgewicht bestand. Dagegen wurden die wichtigen Gremien des Gerichts und der Kaufhausverwaltung zu je einem Drittel mit Adeligen, Kaufleuten und Handwerkern besetzt, sodass immer noch eine Mehrheit von Kaufmannschaft und Adel über Rechtsprechung und Finanzen der Stadt entscheiden konnte. Offenbar versuchte die Landesherrschaft mit dieser Maßnahme, die ins Freiburger Umland verzogenen Patrizier zu einer Rückkehr in die Stadt zu bewegen.

Freiburg als Reichsstadt (1415–1427)

Obwohl die Stadtherren nun fern von Freiburg regierten, hatte deren Politik direkte Auswirkungen auf die Stadt. Der Landesherr Herzog Friedrich IV. „mit der leeren Tasche" hatte während des Konstanzer Konzils den Gegenpapst Johannes XXIII. unterstützt, der jedoch 1415 vom Konzil abgesetzt wurde und an den Oberrhein floh. In Freiburg nahm Johannes im Predigerkloster Quartier. Truppen König Sigismunds setzten ihn schließlich fest und brachten ihn nach Konstanz zurück, wo er vom Konzil zu lebenslanger Haft verurteilt wurde. Herzog Friedrich verfiel dem Kirchenbann, wurde in die Reichsacht genommen und verlor alle seine Besitzungen. Die habsburgisch regierten Städte des Breisgaus – Kenzingen,

Endingen, Freiburg und Neuenburg – waren nun ohne Landesherrn und unterstanden bis 1427 als Reichsstädte direkt dem König.

Zum Reichsvogt im Breisgau wurde 1417 Markgraf Bernhard von Baden bestimmt. Der Zähringernachfahr hatte schon zuvor massive territoriale und wirtschaftliche Interessen gegen die vorderösterreichischen Städte verfolgt. So hatte er unter anderem nach dem Erwerb der an den Breisgau grenzenden Markgrafschaft Hachberg 1417 neue Märkte in Eichstetten und Emmendingen eingerichtet und seine Untertanen angewiesen, die vorderösterreichischen Märkte künftig zu meiden. Der Konflikt blieb nicht aus: 1424 brannten Truppen aus Basel, Breisach und Freiburg den konkurrierenden badischen Marktort Emmendingen nieder. Ein Friedensschluss vom 2. Juli 1424 zwang den Markgrafen zwar zu Zugeständnissen gegenüber den Kurfürsten, in den Städten konnte er jedoch wichtige Forderungen durchsetzen, darunter seine Rechtsansprüche gegenüber hachbergischen Untertanen, die in die österreichischen Städte gezogen waren, sowie den Verzicht der Städte auf ihre im markgräflichen Gebiet lebenden bäuerlichen Ausbürger.

Erst 1427 erhielt Herzog Friedrich IV., der schon 1418 von der Reichsacht befreit worden war, den größten Teil seiner Besitzungen, darunter auch Freiburg und den Breisgau, zurück.

Freiburg als Residenz – Herzog Albrecht VI. von Österreich

Im Jahr 1446 war Herzog Albrecht VI. von Österreich, ein jüngerer Bruder König Friedrichs III., Landesherr geworden. Gemeinsam mit diesem hatte er seit 1440 anstelle seines noch unmündigen Cousins Sigmund von Tirol die Herrschaft über die Stammlande der Habsburger geführt. Nach der Teilung der habsburgischen Länder 1446/47 blieb Albrecht Regent der Vorlande. Wenige Monate nach der Kaiserkrönung seines Bruders in Rom heiratete Albrecht im August 1452 Mechtild, eine geborene Pfalzgräfin bei Rhein und verwitwete Gräfin von Württemberg. Die Heirat mit der reichen Witwe sollte die Herrschaft Albrechts, dessen Finanzen durch den Krieg gegen die Eidgenossenschaft weitgehend erschöpft waren, konsolidieren. 1453 erhob der Kaiser seinen Bruder zum Erzherzog und bestätigte ihn als Landesherrn der Vorlande.

Erzherzog Albrecht VI. residierte in Rottenburg am Neckar und in Freiburg, das er zum künftigen Sitz einer eigenen Territorialherrschaft machen wollte. Die Hofhaltung Albrechts war seiner Stellung und seinem Anspruch gemäß außerordentlich prächtig, was ihm bei übelwollenden Zeitgenossen den Beinamen „der Verschwender" einbrachte. Ein viel beachtetes höfisches Ereignis war das „Große Fest" vom 3. bis zum 8. Juli 1454, das Albrecht in Freiburg zu Ehren des Burgunderherzogs Philipps des Guten und zahlreicher weltlicher und geistlicher Herren ausrichtete. Das Fürstentreffen gipfelte in einem glanzvollen Ritterturnier.

Der Erzherzog griff mehrfach in die Verfassung der Stadt ein, um das noch immer darniederliegende Gemeinwesen zu reformieren, die Verwaltung zu straffen und den Rat damit zu stärken. So verfügte er 1454 die Abschaffung der Zünfte und beschränkte den Rat auf 24 Mitglieder. 1459 wurden die Zünfte zwar wieder zugelassen, doch gab es nun statt der bisherigen 18 nur noch 12 Zünfte, da kleinere Kooperationen mit größeren zusammengelegt wurden. So gingen die bisher in eigenen Zünften zusammengeschlossenen Fischer und die Karrer in der Metzgerzunft, die Wirte in der Küferzunft, die Müller in der Zunft der Zimmerleute, die Kürschner in der Krämerzunft und die Grempler (Kleinhändler) in der Bäckerzunft auf.

In engem Zusammenhang mit der Absicht des Erzherzogs, eine dauerhafte erbliche Hausmacht zu schaffen, steht die Einrichtung einer Universität in Freiburg. Schließlich verlangte das Territorium nach einer Verwaltung mit gut ausgebildeten Beamten.

Die Gründung der Universität 1457

Freiburgs Hochschule zählt zu den ältesten deutschen Universitäten. 1455 hatte sich Erzherzog Albrecht VI. nach Rom an Papst Calixt III. gewandt und ihn um Unterstützung für sein Vorhaben gebeten. Bischof Heinrich von Konstanz wurde beauftragt, das Projekt in die Wege zu leiten. Er ordnete am 3. September 1456 die Einrichtung eines „studium generale" in Freiburg an und bestimmte den Bischof von Basel zum Kanzler der künftigen Hochschule. Die Organisation des akademischen Betriebs hatte der Erzherzog an den Kirchenrechtler und Mediziner Matthäus Hummel übertragen, der 1455 seinen Wohnsitz in Freiburg nahm.

Im Verlauf der Jahre 1456 und 1457 wurden die finanziellen Voraussetzungen für die Gründung geschaffen. Albrecht übertrug der Universität zahlreiche Patronatsrechte und Pfründen an Kirchen seines Herrschaftsgebietes, darunter auch am Freiburger Münster, dessen Pfarrstelle mit ihren Einkünften in Zukunft der Universität gehören sollte. Die eigentliche Gründungsurkunde der Universität Freiburg ist die am 21. September 1457 von Albrecht ausgestellte „Albertina". In diesem Stiftungsbrief sind auch die Statuten der Hochschule festgelegt, deren besonderer Rechtsstatus und die eigene Gerichtsbarkeit.

Die Freiburger Universität wurde schließlich am 26. und 27. April 1460 im Münster feierlich eröffnet. Sieben Professoren deckten alle damals üblichen Fakultäten ab: Artes (Philosophie), Theologie, Jurisprudenz und Medizin. 214 Studenten verzeichnet die erste Matrikel. Drei Wochen zuvor hatte am 4. April die Eröffnung der Hochschule zu Basel stattgefunden, mit der sich eine über Jahrhunderte andauernde Rivalität entwickeln sollte.

Erzherzogin Mechtild galt lange als „Mitbegründerin" der Universität. Manche wollten in der hochgebildeten und an ihrem Hof in Rottenburg als Mäzenin für Kunst, Wissenschaft und Literatur wirkenden Erzherzogin sogar die „treibende Kraft" sehen. Sie taucht jedoch in keiner der Freiburger Urkunden auf. Nicht einmal ein Aufenthalt in Freiburg lässt sich belegen. In der offenbar aus dynastischen und finanziellen Erwägungen geschlossenen Ehe verband Mechtild nur wenig mit ihrem Gatten. Nach dessen Tod stritt sie sogar mit der Hochschule um Rechte aus der zu ihrem Witwengut Hohenberg gehörenden Pfarrei in Rottenburg, die Albrecht nach Freiburg vergeben hatte. Im Gegensatz zur Freiburger Hochschule hat Mechtild aber eine aktive Rolle bei der Stiftung der Tübinger Universität durch ihren Sohn aus erster Ehe, den württembergischen Grafen Eberhard „im Bart", gespielt, wo sie unter anderem im Stiftungsbrief von 1477 ausdrücklich genannt wird.

Bei der Eröffnung der Universität herrschte ihr Stifter nicht mehr über Freiburg. 1457 war mit Ladislaus Postumus der letzte Habsburger der albertinischen Linie gestorben und der Erbstreit im Haus Österreich war in eine neue Phase getreten. Albrecht verstärkte seine Anstrengungen, sich gegen seinen kaiserlichen Bruder in der Herrschaft über die österreichischen Kernlande und die Vormacht im Haus Habsburg durchzusetzen. 1458 trat er die Herrschaft in den Vorlanden an seinen Vetter Herzog Sigmund von Tirol, genannt „der Münzreiche", ab und bestimmte ihn zu seinem Erben. Im Gegenzug übernahm Albrecht Sigmunds Ansprüche auf die Länder an der Donau, um seine Position gegen Kaiser Friedrich zu stärken.

Nach einer vernichtenden Niederlage Herzog Sigmunds gegen die Eidgenossen, die den endgültigen Verlust des Thurgaus für Habsburg zur Folge hatte, und nach der Verhängung des Kirchenbanns über den Tiroler wegen dessen ständiger Fehden mit Nikolaus Cusanus, dem Bischof von Brixen, ließ sich Albrecht die Herrschaft in den Vorlanden wieder übertragen und regierte bis zu seinem plötzlichen Tod am 2. Dezember 1463 von Wien aus. Nun nahm Herzog Sigmund die Vorlande wieder in Besitz. 1477 erhob ihn Kaiser Friedrich III. zum Erzherzog.

Habsburg und Burgund

Zwischen der Stadt Freiburg und der an ihr Territorium grenzenden Markgrafschaft Baden bestanden inzwischen wieder gute Beziehungen, denn der Widerstand gegen die Expansion der Eidgenossenschaft und Burgunds lag im gemeinsamen Interesse der Nachbarn. Die Bedrohung durch das mächtige Herzogtum in Frankreich erreichte einen Höhepunkt, als sich

Herzog Sigmund im Vertrag von Saint-Omer 1469 mit Herzog Karl dem Kühnen von Burgund verbündete, um den eidgenössischen Ambitionen entgegenzuwirken und die seit 1415 an die Eidgenossenschaft verlorenen habsburgischen Gebiete zurückzugewinnen. Als Pfand überließ Sigmund dem Burgunder unter anderem die Landgrafschaft Elsass, die vier Waldstädte am Hochrhein und Breisach.

Mit der „Ewigen Richtung" vom 2. Oktober 1474 söhnte sich Herzog Sigmund schließlich mit den Eidgenossen aus und Freiburger Hilfstruppen unterstützten die Eidgenossenschaft gegen Burgund in der Schlacht bei Murten, wo den Großmachtplänen Karls des Kühnen 1476 ein entscheidender Gegenschlag versetzt wurde. 1477 fiel Karl in der Schlacht bei Nancy. Seine Erbtochter Maria heiratete wenige Monate später Friedrichs Sohn, Erzherzog Maximilian von Österreich, den zukünftigen Landesherrn der Vorlande. Auf dem Höhepunkt seiner Macht hatte sich Karl dem Römischen Kaiser angenähert, weil er sich aus der Hand Friedrichs eine Königskrone für Burgund erhoffte. Die Heirat ihrer Kinder vereinbarten die Monarchen 1475, als der Stern des Burgunders schon im Sinken war und der Kaiser ohne Gegenleistung auf das reiche burgundische Erbe für sein Haus hoffen konnte.

Die gegen Kaiser Friedrich gerichtete Politik Erzherzog Sigmunds gipfelte in seiner seit 1478 begonnenen Annäherung an die Wittelsbacher unter dem Einfluss seiner probayerischen „bösen Räte". Gegen den Willen des Kaisers hatte Sigmund 1487 die Heirat des Bayernherzogs Albrecht IV. mit Friedrichs Tochter Kunigunde vermittelt. Mehrfach wurden die Vorlande an die Herzöge Georg von Landshut und Albrecht IV. von Bayern verpfändet. Der Abstieg Sigmunds begann 1487 auf dem Landtag zu Hall, der den Erzherzog im August zur Entlassung seiner Räte zwang. Auf dem Meraner Landtag im November wurde Sigmund entmündigt und auf dem Innsbrucker Landtag musste er am 16. März 1490 seinen Rücktritt erklären und die Herrschaft endgültig an den 1486 zum Römischen König gewählten Maximilian I. abtreten.

Die Stadt als Territorialherr

Freiburg hatte seine Stellung als Hauptort der Vorlande bis zum Ende des 15. Jahrhunderts weiter ausbauen können und mit dem Aufbau eines eigenen Territoriums begonnen. 1457 kaufte es von den Deutschherren deren Dorf Herdern, 1462 folgte der Erwerb der Grundherrschaft des abgewirtschafteten Augustiner-Chorherrenstifts Sankt Märgen mit Liegenschaften im Dreisamtal, 1463 kamen das Dorf Zarten und weitere Rechte im Dreisamtal hinzu. Zwischen 1491 und 1495 erwarb die Stadt mehrere Herrschaftsrechte und Orte, darunter Dorf und Wasserschloss Kirchzarten, das nun zum Sitz ihres Talvogtes wurde. 1495/96 übernahm Freiburg die Kastvogtei (Schutzaufsicht) des Klosters Oberried mit dem Kapplertal und der gesamten Oberrieder Gemarkung, die bis nach Hofsgrund auf dem Schauinsland reichte. Damit beherrschte die Stadt das gesamte Zartener Becken und kontrollierte die „Wagensteige" als strategisch und wirtschaftlich wichtigen Verbindungsweg in den Schwarzwald.

Die Vollendung des Münsters

Ein deutliches Zeichen für die wieder erstarkende Wirtschaftskraft der Stadt im letzten Drittel des 15. Jahrhunderts ist die Weiterführung des Chorneubaus am Münster, an dem – wie bereits beschrieben – ein Jahrhundert lang nur wenige Baumaßnahmen durchgeführt worden waren. 1471 wurde Hans Niesenberger aus Graz als neuer Werkmeister an die Freiburger Bauhütte berufen.

Zur Finanzierung des gewaltigen Vorhabens war die Stadt wiederum auf Sammlungen und Spenden angewiesen. Im Jahr 1475 beauftragte die Kommune den im Jahr zuvor von der Universität zum Münsterpfarrer ernannten Johannes Kerer, in Rom zwei päpstliche Ablässe zugunsten des Neubaus zu erbitten. Die entsprechenden Briefe wurden 1478 und 1479 ausgestellt. Schon 1475 waren drei solche Indulgenzen von verschiedenen Kardinälen gewährt worden.

Jüngste Forschungen haben eine neue, schlüssige Chronologie des Bauablaufs ergeben: Bald nach der Wiederaufnahme der geregelten Bauarbeiten wurde das romanische Chorhaupt niedergelegt, um die oberen Partien des neuen Chores an das

Querhaus anschließen zu können. Die Arbeiten kamen offenbar zügig voran, denn schon 1481/82 sind die Balken des Dachstuhls geschlagen worden, der unmittelbar danach aufgerichtet worden ist. Wegen schlechter Bauführung und Fehlern bei der Einwölbung des Hochchors entließ die Stadt Hans Niesenberger 1491. Da man schon 1494 mit der Verglasung der westlichen Hochchorfenster begann, muss bis dahin zumindest die Wölbung über diesem Bereich fertig gewesen sein. Der Rest folgte zusammen mit dem Strebewerk bis 1510. 1512 wurden die Glasgemälde im Chorhaupt eingebaut, die Maximilian gestiftet hatte, und 1513 folgte die Weihe des Chors.

Der riesige Hochaltar, den die Freiburger Münsterpfleger 1512 bei Meister Hans Baldung genannt Grien in Auftrag gegeben hatten, war noch nicht vollendet. Der Meister hatte seine Werkstatt aus Straßburg nach Freiburg verlegt und die Stadt hatte ihm große Räume im Barfüßerkloster als Atelier zur Verfügung gestellt, wo er bis 1516 das ganz der Vita Mariens gewidmete große Werk abschloss.

Ab 1505 hatte man den Ausbau des Kapellenkranzes vorangetrieben, beginnend mit Stürtzel- und Universitätskapelle, die 1507 fertig gestellt waren. An den übrigen Kapellen wurde noch bis 1530 gearbeitet. Die Ausstattung an Altären und Glasgemälden lag in den Händen hervorragender Künstler, darunter Baldung, Sixt von Staufen und Wydyz. Mit der Fertigstellung der Sakristei 1536 war das Münster vollendet.

„Der Kaiser in seiner Stadt" – Freiburg und Maximilian I.

Die Zeit unter der Herrschaft Maximilians hat man später gern als Freiburgs „Goldene Jahre" bezeichnet. Kultur und Wissenschaft blühten, und auch der städtischen Wirtschaft ging es wieder besser. Mit der seit dem Ende des 14. Jahrhunderts betriebenen Edelsteinschleiferei besaß Freiburg inzwischen ein wichtiges, über die Grenzen der Region gefragtes Gewerbe. Die Bohrer und Balierer bearbeiteten heimisches Material wie Achat, Jaspis und Chalzedon, aus dem Schmuck, Ziergegenstände und vor allem Rosenkränze geformt wurden, sowie Bergkristall aus den Schweizer Alpen, den die „Hohlwerker" zu kostbaren Gefäßen formten. Das wichtige Monopol auf die

Durch die Inschrift und den deutlich sichtbaren Münsterturm gibt sich die Illustration zum Kapitel über den Regen in Gregor Reischs „Margarita Philosophica" als „verkürztes" Abbild Freiburgs zu erkennen. Der Holzschnitt ist erstmals in der 1504 in Freiburg gedruckten 2. Auflage verwendet worden.

Veredelung von Granatsteinen, die hier bereits im 16. Jahrhundert bearbeitet worden sind, erhielten Freiburg und Waldkirch allerdings erst 1601 von Kaiser Rudolf II.

Der Schuh ohne Spitze

Mit seinem Vater Friedrich III. hatte der 14-jährige Erzherzog Maximilian Ende August 1473 die Stadt Freiburg erstmals besucht. Der Kaiser war auf dem Weg nach Burgund, um mit Herzog Karl dem Kühnen über die Heirat seines Sohnes mit der burgundischen Erbtochter Maria zu verhandeln. Von der Brautwerbung erzählt Maximilians 1517 gedrucktes allegorisches Gedicht über den Ritter Teuerdank.

In dem autobiografischen Text wird von einem Besuch des jungen Ritters – in dem sich niemand anderes als Maximilian selbst verkörpert – in einer Edelsteinschleife erzählt. Mit seinem Schnabelschuh geriet er unter ein Schleifrad, das ihm die Spitze des Schuhs abriss, ohne ihn selbst zu verletzen. Es steht außer Zweifel, dass sich diese Episode in Freiburg abgespielt hat. Der

Schriftsteller Hans Jensen hat sie 1966 zum Ausgangspunkt seines historischen Romans „Der Schuh ohne Spitze" gemacht, in dem er das Leben von Maximilians späterem Hofkanzler Konrad Stürtzel schildert.

Immer wieder ist in der stadtgeschichtlichen Literatur eine besondere Vorliebe Maximilians für Freiburg hervorgehoben worden. Zwar hat der Fürst die Stadt in 28 Jahren sechsmal besucht, davon dreimal für längere Zeit, aber im Vergleich mit anderen Orten ist dies nicht als Beweis besonderer Verbundenheit zu werten. Bemerkenswert bleibt aber das offensichtliche Bestreben Maximilians, durch gezielte Maßnahmen den vor allem durch hohe Schuldenlasten anhaltend desolaten städtischen Haushalt in Ordnung zu bringen und die Wirtschaftskraft Freiburgs zu stärken. Neben der Beseitigung von steuerlichen Sonderrechten – etwa der 14 Freiburger Klöster – gewährte er der Stadt 1516 zu den beiden bereits 1379 von König Wenzel gestifteten Jahrmärkten einen weiteren. Die durch ein kaiserliches Privileg 1507 genehmigte Ausgabe von Goldgulden durch die Freiburger Münze konnte sich allerdings nicht durchsetzen. Für den neuen Chor des Münsters stiftete Maximilian prächtige Glasmalereien, um wie andernorts auch für seine *gedechtnus* zu sorgen, für das Gedenken an ihn über den Tod hinaus.

Andererseits zahlte der Monarch Darlehen der Stadt nur zögerlich zurück, und die allgemeinen Sondersteuern des Reichs, Leistungen für die zahlreichen Kriegszüge des Königs und Einquartierungslasten, die Freiburg auferlegt wurden, belasteten den Stadtsäckel. Schon 1498 hatten die Bürger 200 Mann für einen Kriegszug Maximilians nach Burgund stellen müssen, ebenso im Schweizer- oder Schwabenkrieg gegen die Eidgenossen sowie für Aktionen gegen Venedig, die Freiburger Truppen mehrfach nach Italien führten. Maximilian schätzte Städte wie Freiburg in erster Linie als wichtige Geldgeber und trachtete deshalb schon im eigenen Interesse danach, sie wirtschaftlich zu fördern und ein gutes Verhältnis mit ihnen zu pflegen. Auch hier lässt sich also eine besondere Bevorzugung Freiburgs nicht belegen.

Persönlichkeiten der Maximilianszeit

Immerhin haben bedeutende Persönlichkeiten aus dem unmittelbaren Umfeld des Königs in Freiburg gelebt oder besaßen zumindest das Bürgerrecht der Stadt. Zunächst ist hier Maximilians Hofkanzler Konrad Stürtzel (um 1435–1509) zu nennen, der diese Stellung schon vor 1490 unter Erzherzog Sigmund innehatte. Der in Kitzingen am Main geborene Jurist Stürtzel war bald nach der Stiftung der Universität als einer ihrer ersten Professoren nach Freiburg gekommen und war zweimal Rektor der Hochschule. Zu Stürtzels Freiburger Schülern gehörten der spätere Straßburger Münsterprediger Johann Geiler von Kaysersberg, der Luthergegner Johannes Eck und der wohl bedeutendste Humanist am Oberrhein, Jakob Wimpheling aus Schlettstadt. Um 1480 begann Stürtzel mit dem Umbau eines ganzen Häuserblocks an der Marktgasse in ein repräsentatives Stadtpalais, den späteren „Basler Hof".

Maximilians Hofkanzler Konrad Stürtzel ließ bis 1500 mehrere Bürgerhäuser an der Großen Gass in ein repräsentatives Stadtpalais umbauen, den späteren „Basler Hof". Aufnahme von Georg Röbcke, nach 1891.

1511 erwarb der kaiserliche Schatzmeister Jakob Villinger (gestorben vor 1529) das Freiburger Bürgerrecht und ließ sein Wohnhaus „Zum Walfisch" erbauen. Der gebürtige Schlettstädter lebte zwar überwiegend in Augsburg, war aber in seiner oberrheinischen Heimat unter anderem im Handel mit Floßholz engagiert. Die aufwändige Architektur seines Wohnhauses mit dem prachtvollen Portalerker ließ schon bei den Zeitgenossen das – völlig unbegründete – Gerücht entstehen, Villinger habe das Haus nicht für sich selbst, sondern als Alterssitz für den Kaiser erbauen lassen.

Der Freiburger Jurist Ulrich Zasius (1461–1548) verfasste nicht nur die Rede zur Trauerfeier für Kaiserin Bianca Maria Sforza, bei der Maximilian 1511 im Freiburger Münster anwesend war, sondern acht Jahre später auch die Trauerrede auf den Monarchen selbst, in der er dessen Bindung an Freiburg und die Förderung der hiesigen Gelehrten hervorhob. Der Konstanzer Zasius (latinisiert aus Zäsi) hatte in Tübingen studiert und war 1494 als Ratsschreiber und Vorsteher der Lateinschule nach Freiburg gekommen. 1499 erhielt er den Magistergrad an der Artistenfakultät, 1501 den Doktor der Rechte, 1506 wurde er Professor. Die Stadt hatte Zasius 1502 zum Gerichtsschreiber und Rechtskonsulenten berufen und ihn mit der Neufassung des Freiburger Stadtrechts beauftragt, das 1520 publiziert und in Kraft gesetzt wurde. Die *Nüwen Stattrechten* waren über Freiburg hinaus vorbildhaft und behielten in Grundzügen Gültigkeit bis zum Ende der vorderösterreichischen Zeit.

Mit seinem Hofhistoriografen Jakob Mennel (1460–1532), seit 1496 Zasius' Nachfolger im Amt des Ratsschreibers und Organisator des Reichstages in Freiburg, sowie Maximilians Beichtvater Gregor Reisch, Prior der hiesigen Kartause, waren 1519 zwei Freiburger am Sterbebett des Kaisers in Wels anwesend und begleiteten seine letzten Stunden. Mennel stammte aus Bregenz, hatte in Tübingen studiert und war danach Leiter der Lateinschule in Rottenburg, bevor er sich 1493 erfolgreich um eine Professur in Freiburg bewarb. Für seine Karriere entscheidend gewesen waren die Kontakte, die der Jurist während des Reichstages knüpfen konnte. 1505 erhob ihn Maximilian

Numine uirgo tuum pleno defende Friburgum
Inferni noceant ne mala spectra Iouis.
Tecp tuis Lamberte aris ostende patronum,
Turba Palestinum sentiat omnis herum.

Die beiden Titelholzschnitte zu dem 1520 in Basel gedruckten neuen
Freiburger Stadtrecht schuf Hans Holbein d. J. Das abgebildete Blatt
zeigt die Stadtpatrone Georg und Lambert mit der Muttergottes.
Oben die Wappen des Hauses Habsburg und der Stadt.

72

zum kaiserlichen Rat und betraute ihn mit genealogischen Forschungen, die in seine 1512/17 verfasste *Fürstliche Chronick, genannt Kayser Maximilians Geburtsspiegel* mündeten.

Gregor Reisch (um 1467–1525) schließlich zählte mit Zasius zu den führenden Humanisten in Freiburg. Er stammte aus dem schwäbischen Balingen, hatte in Freiburg studiert, lebte ab 1494 einige Jahre in Ingolstadt und war schließlich in die Freiburger Kartause Johannesberg eingetreten. Schon 1500 wählten ihn die Kartäuser von Kleinbasel zum Prior, 1502 wurde er zum Vorsteher der Freiburger Kartause gewählt. Reischs Ruhm als Autor und Lehrer liegt vor allem in der *Margarita Philosophica* begründet, einem zwischen 1489 und 1495 entstandenen enzyklopädischen Lehrbuch für die Artistenfakultät, das erstmals 1503 von dem Straßburger Verleger Johann Schott in Freiburg gedruckt wurde und bis 1600 mehrere Neuauflagen erlebte. Maximilian hat Reisch mehrfach als Gutachter herangezogen und als engen persönlichen Berater in theologischen Fragen konsultiert.

Ein Freiburger als Taufpate Amerikas

1507 erschien im lothringischen Saint-Dié eine König Maximilian gewidmete große Weltkarte, auf der für die erst 15 Jahre zuvor entdeckten Erdteile erstmals der Name „America" Verwendung fand. Der Kartograf Martin Waldseemüller gab die Karte zusammen mit einem ausführlichen Kommentar von Matthias Ringmann heraus. Offenbar waren sie der Meinung, nicht Kolumbus sondern sein Landsmann, der florentinische Seefahrer Amerigo Vespucci, habe den neuen Kontinent entdeckt.

Martin Waldseemüller (um 1470–um 1520) stammte aus Freiburg oder Wolfenweiler und hatte unter anderem bei Gregor Reisch studiert. In Saint-Dié gehörte er dem Humanistenkreis „Gymnasium Vosgense" an. Seit 1508 lebte er in Straßburg. In späteren Weltkarten vermied Waldseemüller den Namen „Amerika" und nannte die Neue Welt „Brasilia oder Papageienland". Das einzige erhaltene Exemplar der Weltkarte von 1507 befand sich über 350 Jahre im Besitz der Fürsten von Waldburg-Wolfegg und wurde 2001 an die Library of Congress in Washington, DC verkauft.

Der Freiburger Reichstag von 1497/98

Die Einberufung des Reichstags nach Freiburg für den Micha-
elstag (= 29. September) 1497 war für die Stadt zwar eine
große Ehre, bedeutete aber auch eine riesige Organisations-
aufgabe mit zahlreichen unwägbaren Problemen. Die Haupt-
last trug der Ratsschreiber Jakob Mennel. Er hatte für die
Unterbringung und Versorgung der Fürsten, ihres Gefolges und
der Pferde zu sorgen und musste entsprechende Versamm-
lungsräume vorbereiten, an denen es in Freiburg mangelte.
Der Bau des neuen Korn- und Tanzhauses war zwar im März
1497 beschlossen worden, an eine Fertigstellung bis zum
Reichstag war jedoch nicht zu denken. So stand lediglich die
Ratsstube – die heutige „Gerichtslaube" – hinter dem jetzigen
Alten Rathaus zur Verfügung.

Der Beginn des Reichstages verzögerte sich und als die
Versammlung im Oktober endlich erstmals zusammentrat,
waren nur wenige Fürsten anwesend. Insbesondere der König
– zum erwählten Römischen Kaiser ist Maximilian erst 1508
ernannt worden – ließ auf sich warten. Erst Ende Mai 1498
brach der Monarch von Ulm nach Freiburg auf. Zunächst traf
am 29. Mai Königin Bianca Maria ein und bezog Quartier im
Predigerkloster. Ein dort im späten 14. Jahrhundert eigens
angebauter Flügel hatte schon zuvor als Residenz für die Landesherrschaft und fürstliche Gäste gedient. Hier hatte Erzherzog Albrecht VI. Hof gehalten, hier wohnte der Burgunder-
herzog Philipp der Gute während des „Großen Festes" und
hier war auch Maximilians Sohn Philipp der Schöne bei
seinem Besuch in Freiburg 1496 standesgemäß abgestiegen.
Am 18. Juni 1498 zog der König selbst feierlich in die Stadt.

Der Reichstag endete am 4. September 1498. Einige Be-
schlüsse zu den zahlreich verhandelten Themen seien heraus-
gegriffen: Die neu erlassene Reichskleiderordnung sollte die
Art und den Aufwand der Kleidung in den verschiedenen
Gruppen der Gesellschaft festlegen. Angesichts der stetig
wachsenden Zahl von Bettlern beschloss der Reichstag, das
Betteln nur Personen zu gestatten, die mit „Schwachheit oder
Gebrechen" belastet sind. Kinder von Bettlern sollten den

Eltern entzogen und in einem Handwerk ausgebildet werden. Die von Osten ins Reich eindringenden „Zigeuner" wurden für vogelfrei erklärt. Man verdächtigte sie pauschal des Diebstahls, des Kindesraubs und der Spionage für die Türken. Der Gesundheitsvorsorge sollte die neue Weinordnung dienen, die das Fälschen des Weins mit oftmals hochgiftigen Stoffen unter schwere Strafen stellte.

Für die Finanzen der Stadt stellte sich der Reichstag indes als Verlustgeschäft heraus. Die Fürsten erwiesen sich wieder einmal als säumige Zahler. Als Maximilian abreiste, ließ er zunächst seine Gattin quasi als Pfand zurück, wohl um damit die um ihr Geld bangenden Bürger zu beruhigen. Noch 20 Jahre später schuldete der kaiserliche Haushalt der Stadt die riesige Summe von über 20 000 Gulden. Dennoch wurden der Prestigegewinn und die indirekten Folgen für die städtische Wirtschaft so hoch bewertet, dass sich Freiburg in der Folge wiederholt als Tagungsort für den Reichstag anbot. Für 1511, 1514 und 1515 berief Maximilian erneut den Reichstag nach Freiburg ein, jedoch haben dies die jeweiligen Zeitläufte verhindert und die Reichstage wurden abgesagt.

Das „Collegium Sapientiae" und sein Stifter

Einen Einblick in das Leben an der Universität gibt das um 1500 in Augsburg entstandene Statutenbuch des Freiburger „Collegium Sapientiae", das reich mit Miniaturen ausgestattet ist. Stifter des bedeutenden Freiburger Kollegienhauses an der Herrenstraße war der Freiburger Münsterpfarrer und spätere Augsburger Weihbischof Johannes Kerer (1436–1507). Dem mittellosen Sohn eines Webers aus Wertheim war selbst durch ein Stipendium am Dionysius-Kolleg in Heidelberg das Studium ermöglicht worden. 1496 verfügte er testamentarisch die Einrichtung eines Kollegienhauses für zwölf arme Studenten, vorzugsweise der Theologie. Seine Erfahrungen als Universitätslehrer flossen in die Statuten ein, die er selbst 1497 verfasst hat und in denen der Tagesablauf im Kolleg, das Leben und das Arbeiten in 88 Artikeln geregelt wurden. Nach seinem Tod 1507 wurde der Stifter in der Hauskapelle der „Sapienz" beigesetzt. Heute befindet sich sein Grab in der Universitätskirche.

Neben der Sapienz existierten eine ganze Reihe weiterer Kollegienhäuser, in denen die Studenten nicht nur Unterkunft und

Für das von ihm 1501 gestiftete „Collegium Sapientiae" ließ Johannes Kerer ein reich illustriertes Statutenbuch anfertigen, das mit 88 Kapiteln in Wort und Bild das Leben der Studenten bis ins Detail regelt. Dargestellt ist hier die vorgeschriebene Zurichtung der Betten.

Verpflegung fanden, sondern auch weitgehend ihr Studium absolvierten. Allen gemeinsam ist das quasi klosterähnliche Zusammenleben vor allem der unteren Semester. Die größten Einrichtungen waren die Pfauen- und Adlerburse an der heutigen Bertoldstraße, allein vier Kollegienhäuser befanden sich an der Franziskanergasse. Ferner gab es von Professoren, beispielsweise Zasius oder Glarean, für ihre Schüler betriebene Privatbursen.

Bautätigkeit um 1500

Der wirtschaftliche Aufschwung Freiburgs fand in mehreren Bauprojekten sichtbaren Ausdruck. Vom Kornhaus war schon die Rede. Es ist als Mehrzweckbau zwar auch für die im Namen anklingende Lagerung und den Handel von Getreide, vor allem aber als Fest- und Tanzhaus der Zünfte gebaut worden. Der Reichstag hatte den Mangel an großen Veranstaltungsräumen schmerzlich bewusst gemacht. Das schon zuvor geplante Korn- und Tanzhaus hätte dem abhelfen können, doch haben schwierige Grundstücksverhandlungen den Baufortgang so verzögert, dass das Gebäude erst Jahre nach dem Reichstag fertig war.

Einen weiteren Mehrzweckbau, mit dem das Angebot an repräsentativen Festsälen erweitert wurde, ließ die Stadt ab etwa 1520 mit dem Neuen Kaufhaus errichten. Schon seit dem 14. Jahrhundert ist das heutige Rückgebäude an der Schusterstraße als Anlaufstelle für den Warenverkehr nachgewiesen. 1491 ist diesem Alten Kaufhaus von Münsterbaumeister Hans Niesenberger der „Kaminsaal" eingefügt worden, die schöne Wendeltreppe zum Hof ist 1518 datiert. Unmittelbar danach begannen die Arbeiten an dem Neubau. Durch die aus der Flucht der Nachbarhäuser springende Fassade, die beiden Eck-

Das Kaufhaus war Sitz der Markt-, Zoll- und Finanzverwaltung der Stadt. Den 1520/30 neu erbauten Flügel zum Münsterplatz ließ der Rat mit einem habsburgischen Wappen- und Figurenprogramm schmücken. Die Aufnahme entstand nach der Restaurierung des Kaufhauses 1924/25.

erker und den Laubengang mit seinen großen Arkaden dominiert das Neue Kaufhaus die Südseite des Münsterplatzes. Im Erdgeschoss konnten Waren umgeladen und begutachtet werden, unter dem riesigen Dach stand ein mehrstöckiger Speicher zur Verfügung. Das gesamte zweite Stockwerk nimmt der Festsaal ein. Der Zugang erfolgte ursprünglich über eine große Wendeltreppe, die „Kaisersteige" im Hof. Ganz auf die gute Beziehung der Stadt zum Haus Habsburg ist der Fassadenschmuck abgestimmt: An den Erkern finden sich die Wappen der habsburgischen Erblande, vier große Standbilder zeigen Kaiser Maximilian, seinen Sohn König Philipp den Schönen und seine Enkel Kaiser Karl V. und Erzherzog Ferdinand I., der seinem Bruder Karl als Kaiser nachfolgte.

Auch die beiden Stadtpalais für Maximilians Hofkanzler Stürtzel und seinen Schatzmeister Villinger sind bereits erwähnt worden. Während für den Stürtzelhof mehrere bestehende Gebäude zusammengefügt worden sind, ließ Villinger sein Haus „Zum Walfisch" 1512 bis 1516 als Neubau errichten. Mit seinem über drei Stockwerke reichenden und außerordentlich aufwändig mit Stabwerk, Maßwerkgittern und Skulpturen verzierten Portalerker zählt das Haus zu den schönsten Bauten der Spätgotik am Oberrhein.

Freiburg und die Reformation

Durch die enge Bindung der Stadt an Habsburg konnte die Reformation keinen Fuß in Freiburg fassen. Luthers Schriften wurden zwar von einigen hiesigen Gelehrten wie Ulrich Zasius durchaus positiv aufgenommen, der führende Freiburger Humanist gab jedoch den Schriften des Erasmus den Vorzug, mit dem er seit 1514 korrespondierte und dem er 1518 in Freiburg erstmals persönlich begegnet ist. Erst 1524 sagte sich Zasius angesichts des zunehmend rigoroseren Vorgehens der Stadt gegen protestantische Tendenzen offiziell von Luther los.

Nach dem Verbot von Luthers Schriften durch das Edikt von Worms im Mai 1521 wurden lutherfreundliche Äußerungen oder Verstöße gegen altkirchliche Regeln vom Freiburger Rat vehement verfolgt. 1522 hatte die Stadt auf Anordnung Erzherzog Ferdinands I. bei Hausdurchsuchungen reformatorische Bücher und Schriften – angeblich über 2000 – konfisziert, die 1525 durch den Scharfrichter auf dem Münsterplatz öffentlich verbrannt wurden. Auch das Verhältnis zur Universität verschlechterte sich zusehends, da die Stadt die Hochschule argwöhnisch als potenziellen Hort reformatorischer Gedanken beobachtete. Dies ging bis zur Denunziation von Universitätsmitgliedern, die der Rat beim Senat, bei der Obrigkeit in Ensisheim und selbst beim Kaiser anzeigte. Unter den prominentesten Opfern war Ulrich Zasius: Er hatte Erasmus bei einem Besuch in Freiburg im März 1523 mitten in der Fastenzeit ein Huhn vorgesetzt, denn der an Steinen leidende Gelehrte vertrug keinen Fisch, hatte es aber nicht gewagt, trotz eines päpstlichen Dispens das Fastengebot im streng gläubigen Freiburg zu brechen. Nun rührte Erasmus das Fleisch zwar nicht an, aber sein Gastgeber wurde belangt, vielleicht sogar mit einer Geldstrafe belegt. 1526 nannte Erasmus Freiburg deshalb „die Stadt, die ihren Namen nicht ganz verdient". Zahlreiche Universitätsangehörige – Studenten wie Professoren – sahen sich in diesen Jahren gezwungen, die Stadt zu verlassen.

Der Bauernkrieg

Die Reformation hatte auch die latente Unzufriedenheit der Landbevölkerung wieder verschärft. Seit dem 15. Jahrhundert war der Oberrhein Schauplatz von Kriegen gewesen und immer wieder war es zu Übergriffen durch umherziehende Söldner gekommen, die vor allem die Landbevölkerung trafen. Wegen der zersplitterten Territorien konnte die Landesherrschaft den Schutz ihrer Untertanen nicht gewährleisten. Die Bauern schlossen sich deshalb in „Bundschuh" genannten Milizen zusammen, um ihre Lebensgrundlage zu verteidigen. Aus diesen bäuerlichen Wehren war gegen 1500 eine revolutionäre Bewegung entstanden, die auf eine Befreiung der

Bauern zielte. Man wehrte sich gegen die Grundherren aus Adel und Klerus, die einerseits der Landbevölkerung mehr und mehr Lasten aufbürdeten, aber andererseits die Nutzungsrechte der Allgemeinheit an Wäldern, Weiden und Gewässern einschränkten.

Zentrale Figur der Bundschuhbewegung im Breisgau war Jos Fritz, der im Frühjahr 1513 in dem westlich Freiburgs gelegenen Dorf Lehen den bewaffneten Aufstand vorbereitete. Im Spätherbst wollte man losschlagen, zunächst kleinere Städte besetzen und zu Martini die Stadt Freiburg einnehmen. Die Verschwörung kam jedoch ans Licht, vierzig Bauern wurden festgenommen und verhört, dem Rädelsführer Jos Fritz gelang die Flucht in die Schweiz.

Im Sommer 1524 scharte der ehemalige Landsknecht und Sankt Blasianer Leibeigene Hans Müller aus Bulgenbach erneut eine Schar unzufriedener Bauern aus dem Gebiet von Stühlingen um sich, der sich nach und nach weitere Gruppen anschlossen. Ende des Jahres hatte der Aufruhr den ganzen Südschwarzwald erfasst. Unter anderem wurde Anfang Dezember das Kloster Sankt Trudpert niedergebrannt und geplündert. Freiburger Truppen zogen zur Niederschlagung des Aufstands ins Münstertal, und der Rat bereitete sich auf eine Verteidigung der Stadt vor. Im April 1525 spitzten sich die Ereignisse zu: Während die Hauptmacht von Hans Müllers „Christlicher Vereinigung" von Osten auf Freiburg zog, brachen im ganzen Breisgau Aufstände aus. Städte wurden eingenommen und zahlreiche Klöster zerstört. Freiburg sah sich im Mai von den aufständischen Bauern umzingelt. Die Bauern forderten, die Stadt möge sich ihrer Sache anschließen, zu der auch das reformatorische Ziel der evangelischen Verbrüderung gehörte. Nach fruchtlosen Verhandlungen mit dem Rat zog der Schwarzwälder Haufen am 17. Mai auf Freiburg, zerstörte die Kartaus, beschoss die Stadt vom Schlossberg her und unterbrach die Wasserleitung. Nach sechs Tagen musste sich die Stadt ergeben und schloss sich in einem Bündnisvertrag der „Christlichen Vereinigung" an. Das Bauernheer hinterließ eine Besatzung und zog weiter gegen Breisach.

Der Sieg der Bauern war nicht von Dauer. Am 19. Juli

kündigte die Stadt das Abkommen und begann mit Vergeltungsmaßnahmen gegen ihre Untertanen. Nach Anführern des Aufstandes wurde systematisch gefahndet, viele wurden verurteilt und hingerichtet. Den Bauern wurden zum Ausgleich für die angerichteten Schäden Zahlungen auferlegt. Die Stadt selbst, die sich ja immerhin kurzzeitig der evangelischen Bewegung angeschlossen hatte, konnte geplante Strafmaßnahmen der Landesherrschaft weitgehend abwenden.

Die Reformation in Basel: Flucht nach Freiburg

Nachdem sich in Basel 1529 die Reformation durchgesetzt hatte – nicht ohne gewaltsame Übergriffe auf Kirchen und Klöster, bei denen man Altäre zerschlug und das „heidnische Bildwerk" verbrannte –, flohen viele Katholiken in das altgläubig gebliebene Freiburg, darunter das Domkapitel und der Weihbischof. Der Bischof selbst zog sich in sein Fürstentum im Jura nach Puntrut (Porrentruy) zurück. Bis 1679 blieben die Baseler Domkapitulare in Freiburg, richteten hier die bischöfliche Verwaltung ein und nutzten das Münster zum Chorgebet. Seit 1535 saßen sie im Haus „Zum Roten Baselstab" an der Salzstraße, 1587 erwarben sie das Stürtzelsche Stadtpalais, das seither den Namen „Basler Hof" trägt.

Nach Freiburg kamen 1529 auch der Prior der Kleinbasler Kartause, Hieronimus Tschekkenbürlin, und Anna Peyer, die Äbtissin des Klarissenklosters Gnadental, mit den katholisch gebliebenen Nonnen. Unter den Flüchtlingen waren Persönlichkeiten wie der Basler Bürgermeister Jakob Meyer zum Hasen oder der aus Freiburg stammende Kaufmann Hans Oberried. Er brachte sogar die Flügel seines für die Kleinbasler Kartause gestifteten Altars mit nach Freiburg, die Hans Holbein der Jüngere gemalt hatte und die sich heute in der Universitätskapelle am Münsterchor befinden.

Unter den zahlreichen Gelehrten, die Basel verließen, war der Poetikprofessor Heinrich Loriti Glarean (1488–1563). Der bedeutende Humanist übernahm den Lehrstuhl für Dichtkunst an der Freiburger Universität und unterhielt in seinem

Haus eine Burse für seine zahlreichen Schüler, von denen etliche aus Basel mitgekommen waren. Gleichzeitig verlegte der Drucker Johann Faber Emmeus seine Offizin von Basel nach Freiburg. Er druckte hier nicht nur Werke von Glarean und Zasius sondern auch Schriften des Erasmus, der im April 1529 nach Freiburg übersiedelte. Der berühmteste Gelehrte seiner Zeit nahm Wohnung im Haus „Zum Walfisch", das ihm die Stadt auf Bitten Erzherzog Ferdinands zur Verfügung stellte.

Ein prächtiger Portalerker schmückt das Haus „Zum Walfisch" an der Franziskanergasse, das heute zur Sparkasse Freiburg-Nördlicher Breisgau gehört. Bald nach der Restaurierung des Gebäudes durch die Sparkasse 1909–11 entstand das Foto.

82

Erasmus in Freiburg und Basel

Desiderius Erasmus von Rotterdam war durch eine unglückliche Fügung mit dem Makel des Priesterkindes zur Welt gekommen. Nach den Konventionen der Zeit bestimmte ihn dies für den geistlichen Stand. Mit 18 Jahren trat er 1487 in das Augustinerchorherrenstift Steyn nahe Gouda ein und wurde 1493 zum Priester geweiht. Nach einigen Jahren als Sekretär des Bischofs von Cambrai studierte er in Paris und an verschiedenen Orten in Italien. Enge Verbindungen bestanden nach England, wo Erasmus mehrere Jahre lebte und in Cambridge lehrte. 1513 hatte ihn ein – durch den Drucker Johannes Froben sorgfältig edierter – Raubdruck auf Basel aufmerksam gemacht, ein Jahr darauf reiste er erstmals an den Oberrhein. Zu dem Basler Verleger entstand eine lebenslange Freundschaft. Seither erschienen die meisten Schriften und Editionen des Erasmus in Frobens Offizin und seit 1521 hatte der Gelehrte einen ständigen Wohnsitz in Basel.

Mit lobenden Worten pries Erasmus bei der Ankunft sein Freiburger Domizil – und trug das Gerücht weiter, das Haus „Zum Walfisch" sei als Alterssitz für Maximilian erbaut worden. Im Juni 1531 kaufte Erasmus das Haus „Zum Kindlein Jesu" an der Schiffstraße. Auf Dauer wohlgefühlt hat er sich in Freiburg nicht, dies belegen zahlreiche Äußerungen in seinem regen Briefverkehr. Die Bürgerschaft der Stadt hat er nie erworben, lediglich im Jahr 1533 diejenige der Universität. Erasmus empfand Freiburg im Vergleich zu Basel zunehmend als klein und provinziell und litt mehr und mehr unter seiner schlechten Gesundheit. Im Mai 1535 verließ er Freiburg und kehrte trotz anderweitiger Beteuerungen gegenüber dem Rat nicht wieder zurück. Kaum ein Jahr später, am 12. Juli 1536, starb der Gelehrte im Frobenschen Haus „Zum Luft" nahe des Basler Münsters, wo er ehrenvoll beigesetzt wurde – ein erstaunliches Zeichen der Wertschätzung in der protestantischen Stadt, denn Erasmus war sein Leben lang katholischer Priester geblieben.

Die Jesuiten in Freiburg

Die Reformation hatte zwar in ganz Vorderösterreich keinen Fuß fassen können, Freiburg sah sich jedoch von zahlreichen protestantischen Gebieten umgeben. Markgraf Karl II. von

Baden aus der Durlacher Linie des Hauses führte 1556 in seinem Herrschaftsgebiet, das direkt an Freiburg angrenzte, den lutherischen Glauben ein. Die großen oberrheinischen Nachbarstädte Basel und Straßburg hatten sich schon 1529 der Reformation angeschlossen.

Die Landesherrschaft trachtete danach, den katholischen Glauben auch weiterhin zu konsolidieren und ihre Länder vor protestantischen Anfechtungen zu bewahren. Insbesondere die Freiburger Universität sollte als einzig verbliebene katholische Hochschule im Südwesten des Reichs gestärkt werden und deshalb wie andernorts auch unter jesuitische Führung kommen. Dem ersten Anlauf 1577 setzten Universität und Stadt jedoch größte Widerstände entgegen. Die Stadt befürchtete, dass der finanzkräftige Orden die Preise verderben würde und dass der Grundstücksverbrauch für ein geplantes Kollegium zu hoch sei. Die Universität wollte keine Eingriffe in den Lehrbetrieb und ihre Organisation zulassen. Es bedurfte schließlich des direkten Eingreifens von Erzherzog Leopold V., damit sich die Gesellschaft Jesu 1620 an der Salzstraße nieder-

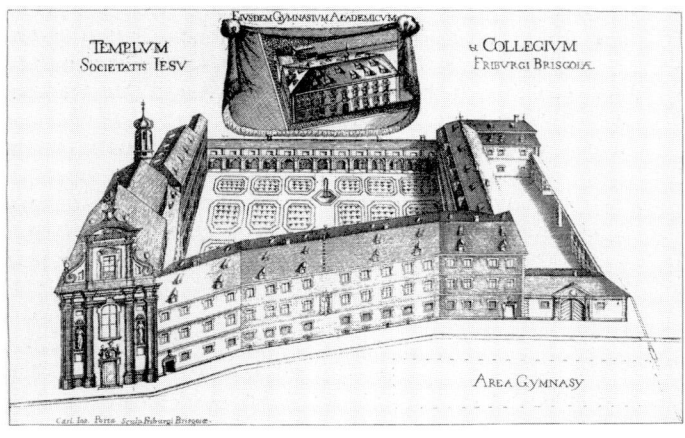

Das Jesuitenkolleg mit seiner Kirche von Süden. Auf dem Tuch darüber ist das gegenüber des Kollegs gelegene Jesuitengymnasium dargestellt. Kupferstich von Carl Joseph Porta, um 1726.

lassen konnte. Bis zum endgültigen Ausbau des Kollegs und zur Errichtung einer eigenen Kirche dauerte es bedingt durch die Kriege des 17. Jahrhunderts allerdings noch bis nach 1700.

Die Jesuiten bestimmten bald nach ihrem Einzug in die alten Kollegienhäuser Adler- und Pfauenburse große Teile des akademischen Lebens. Sie richteten zur Ausbildung des studentischen Nachwuchses das „Gymnasium Academicum" ein und übernahmen die Professuren der Theologischen und der Philosophischen Fakultät. Zur Seelsorge gründeten sie Kongregationen, in denen sich verschiedene Schichten der Bürgerschaft zusammenfanden. Es gab Vereine für Professoren und Studenten, für Gymnasiasten, für Jünglinge und Junghandwerker. Die „Große Marianische Bürgerkongregation", in der sich hauptsächlich verheiratete Handwerker zusammenfanden, hatte Ende des 17. Jahrhunderts schon 500 Mitglieder.

Hexenwahn in Freiburg

Am Ende des 16. Jahrhunderts erreichte der Hexenwahn in Freiburg einen traurigen Höhepunkt. Innerhalb von wenigen Jahren wurden fast 40 Frauen als Hexen hingerichtet. Unzählige andere Frauen und – deutlich weniger – Männer wurden denunziert, festgenommen und gefoltert. Zu Misstrauen und Angst hatte sicher auch die periodisch auftretende Pest beigetragen, der allein 1564 an die 2000 Menschen in Freiburg zum Opfer gefallen sein sollen. Weitere Pestwellen folgten 1584/86, 1594/95, 1610/11 und schließlich 1634/35.

Die ideologischen Grundlagen des Hexenwahns sind im *Malleus Maleficarum*, dem „Hexenhammer" zusammengefasst, den der Dominikaner Heinrich Kramer (latinisiert Institor) 1486/87 drucken ließ. Er basiert weitgehend auf älterer Literatur und diente als Handbuch für die Hexenverfolgung. Der heidnische Aberglaube war im 13. Jahrhundert zur Ketzerei erklärt worden. Man sah im Treiben der Hexen das Wirken des Teufels, der danach trachtete, die ganze Christenheit zu verderben. Als besonders verwerflich galt, dass durch Hexerei direkter Schaden an Leib, Leben und Besitz verübt wurde.

Wohl die erste Frau, die in Freiburg als Hexe auf den Scheiterhaufen gebracht wurde, war 1546 Anna Schweizerin, „die Besenmacherin". Vielfach waren es ärmere Frauen, oft alleinstehend, denen man den Prozess machte, doch es finden sich auch Frauen aus der Oberschicht unter den Opfern, so im Jahr 1599 die Witwen Margaretha Mößmerin, Catharina Stadelmännin und Anna Wolffartin, deren Männer dem Rat angehört hatten – Jakob Baur, der Gatte der Mößmerin, sogar als Obristzunftmeister. Obwohl man sich in der Bürgerschaft mehrfach um ihre Freilassung bemühte, wurde am 24. März 1599 das Todeurteil durch Enthauptung und anschließende Verbrennung vollstreckt.

Damit endete eine im Vorjahr begonnene Prozesswelle, die 12 Frauen das Leben kostete, eine weitere Serie folgte 1603, als nicht weniger als 25 Frauen der Hexerei verdächtigt wurden, von denen 13 den Tod fanden. Bevor der Dreißigjährige Krieg die Hexenprozesse in Freiburg beendete, wurde 1631 das letzte Todesurteil gesprochen.

Im Dreißigjährigen Krieg

Der große Krieg, der 1618 begonnen hatte, erreichte Freiburg erst spät, doch waren die Auswirkungen schon zuvor schmerzlich spürbar. Noch vor dem „Prager Fenstersturz" hatten Rat und Zünfte beschlossen, das alljährliche Passionsspiel auf dem Münsterplatz angesichts der Kriegsgefahr nicht aufführen zu lassen. Im November verfügte die Ensisheimer Regierung nach dem Tod des Landesherrn Erzherzog Maximilian nicht nur das übliche Totengedenken in den Freiburger Kirchen, sondern auch Gebete *der Böhemischen Unruh halben.* Die Freiburger Wirte wurden bei Strafe vom Rat angewiesen, dem Obristmeister jeden Abend eine Liste der bei ihnen untergekommenen Fremden abzugeben. Mit dem von der Landesherrschaft verfügten Ankauf von Getreide und anderen Vorräten sowie durch die Verstärkung der Befestigungsanlagen versuchte sich Freiburg zur Verteidigung bereit zu machen.

Durch das Umland zogen habsburgische Truppen, meist Söldner, die mit der Landbevölkerung nicht gerade zimperlich umgingen. Plünderungen und Verwüstungen der ungeschützten Höfe und Dörfer auf Freiburger Territorium waren an der Tagesordnung und es kam sogar zu Überfällen auf reisende Bürger. Auch bei Einquartierungen in der ohnehin durch zahlreiche Flüchtlinge belasteten Stadt blieben Spannungen und Unruhen in der Bürgerschaft nicht aus. Zu allem Unglück brach im Sommer 1627 die Pest aus und forderte bis zum Beginn des Folgejahres über 150 Opfer.

Mit dem Eintritt der protestantischen Großmacht Schweden 1631 hatte sich der Krieg endgültig zum europäischen Konflikt ausgeweitet. Ende des Jahres 1632 wurde Freiburg von schwedischen Truppen belagert und eingenommen. Die Stadt musste Kontributionen zahlen und eine Garnison von 1500 Mann aufnehmen. Im Gegenzug sicherte die Besatzungsmacht Bürgern, Universität und Geistlichkeit die freie Ausübung des katholischen Glaubens zu, respektierte ihre alten Rechte und garantierte den Schutz von Frauen und Kindern vor Plünderung und Übergriffen. Den protestantischen Feldgeistlichen wurde die Kirche der Augustinereremiten zum Gottesdienst überlassen.

Angesichts der Überlegenheit einer heranziehenden spanischen Streitmacht unter dem Herzog von Feria zogen sich die Schweden im Oktober 1633 zurück und räumten die Stadt. Nicht weniger als 16 000 Soldaten mussten nun in und um Freiburg untergebracht werden, was zu chaotischen Zuständen führte. Erneut suchten Seuchen die Stadt heim, denen 1100 von zuvor 1500 männlichen Einwohnern und ungezählte Frauen und Kinder zum Opfer fielen. Die Versorgungslage Freiburgs und seines Umlandes verschlechterte sich dramatisch, Kriegslasten und -steuern verknappten das Bargeld, zwangen Bürger, Universität und Klöster zum Verkauf ihrer Wertsachen und zu hoher Verschuldung und ruinierten die städtischen Finanzen nachhaltig.

Am 9. April 1634 lagen die Schweden erneut vor Freiburg und nahmen es nach kurzer Beschießung ein. Nach der schweren Niederlage der protestantischen Armee bei Nördlingen rückten habsburgische Truppen auf Freiburg. Vor ihrem Abzug Mitte September sprengten die Schweden Teile des Burghaldenschlosses. Was nicht niet- und nagelfest war, wurde auf Karren geladen und aus der Stadt geführt.

Durch den Kriegseintritt Frankreichs verschärfte sich die Situation am Oberrhein erneut. In Freiburg residierte nun der von Kardinal Richelieu aus seinem Herzogtum vertriebene Karl von Lothringen mit seinen Truppen, um von hier aus gegen Frankreich zu operieren. Das Verhalten des lothringischen Militärs gegenüber der Bürgerschaft verschlimmerte die Versorgungslage in Freiburg in bisher nicht gekanntem Maß. Es erwies sich, dass die eigenen und verbündeten Truppen mit der Zivilbevölkerung nicht anders umsprangen als die Soldaten fremder Mächte.

Am 11. April 1638 nahm Herzog Bernhard von Sachsen-Weimar die Stadt ein. Der Wettiner war zunächst in schwedischen Diensten gewesen und hatte sich mit Frankreich verbündet, um sich als von Haus aus landloser Fürst hier am Oberrhein ein eigens Territorium zu schaffen. Nach der Eroberung Freiburgs zog Herzog Bernhard vor die Festung Breisach. Bei der Belagerung, die Breisach eine schreckliche Hungersnot mit über 2000 Opfern brachte, mussten Freiburger Bürger Schanzdienste leisten. Nach dem plötzlichen Tod des Herzogs, den Mitte 1639 in Neuenburg eine Seuche ereilt hatte, hielt Frankreich dessen Eroberungen weiterhin besetzt. 1642 und 1643 huldigten die Freiburger König Ludwig XIII. von Frankreich.

Am 25. Juni 1644 zog die lang erwartete kurbayerische „Reichsarmada" unter Generalfeldmarschall Franz von Mercy vor Freiburg auf. Schon im November 1643 hatten die Bayern den französisch-weimarischen Truppen bei Tuttlingen eine empfindliche Niederlage bereitet. Mit einer mehrwöchigen Belagerung erzwang Mercy nun am 28. Juli 1644 ihren Rückzug aus Freiburg und den Abmarsch nach Breisach. Mercy besetzte die Stadt mit 1000 Soldaten und harrte südlich von Freiburg des Angriffs der bereits am Batzenberg lagernden französischen Streitmacht unter Marschall Henri de la Tour d'Auvergne Vicomte de Turenne, der dort die anrückende Verstärkung durch die „Armee de France" unter Louis de Bourbon Duc d'Enghien erwartete.

Das kurbayerische Heer mit etwa 15 000 Mann und die vereinten französischen Armeen mit circa 18 000 Soldaten lieferten sich vom 3. bis zum 5. August 1644 eine überaus blutige Schlacht am Schlierberg südwestlich Freiburgs, bei der 1500

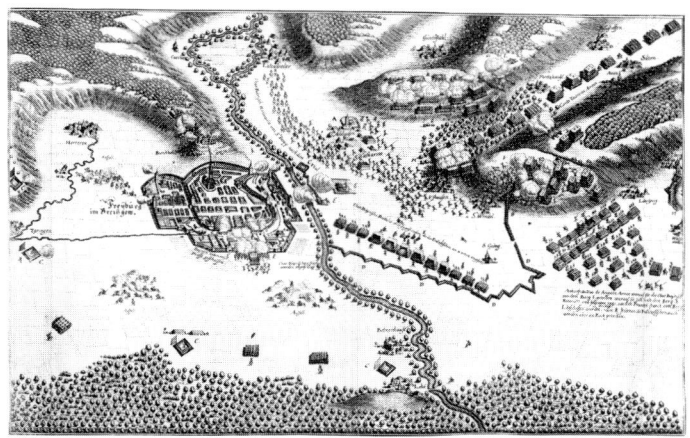

„Abriss der Statt Freyburg wie solche in die 6 wochen ernstlich von den Chur Beyerischen ist belägert und eingenommen worden ...". Kupferstich aus Matthäus Merian d. Ä. „Theatrum Europaeum", Frankfurt 1644.

Bayern und 6000 Franzosen den Tod fanden. Letztlich blieb die Schlacht ohne Sieger: Die Rückeroberung der Stadt gelang den Franzosen nicht. Enghien hatte versucht, Mercys Heer über das Glottertal in die Zange zu nehmen. Dieser entzog sich jedoch einer Umklammerung und rückte am 9. August in Richtung Villingen ab. Die Franzosen bewegten sich nun entlang des Rheins nach Norden, eroberten im September die wichtige Festung Philippsburg in der Pfalz und brachten das ganze linksrheinische Gebiet bis Koblenz unter ihre Kontrolle – eine wichtige Voraussetzung für die spätere Grenzziehung am Oberrhein.

Die Lorettokapelle

Während vor der Stadt im August 1644 die Schlacht tobte, hatten Bürgerschaft und Rat bei Bittgottesdiensten im Münster den Bau eines „Lauretanischen Haißleins" gelobt, sollte die Stadt verschont werden. Das Gelübde zur Errichtung eines Marienheiligtums nach dem Vorbild der berühmten Wallfahrtsstätte Loreto bei Ancona schien zunächst in Vergessenheit geraten zu sein, doch 1657 griff Obristzunftmeister Christoph Mang das Projekt wieder auf und verband es mit einer Gedenkstiftung für seinen im selben Jahr verstorbenen Sohn Franz Xaver.

Am 28. Oktober 1657 wurde das Kirchlein eingeweiht. Man hatte es nahe des Schauplatzes der blutigen Schlacht von 1644 auf dem Schlierberg errichtet, den man nun auch „Josephsbergle" oder nach der neuen Wallfahrtsstätte „Lorettoberg" nannte. Zur ursprünglichen Marienkapelle, deren Inneres die Casa Santa von Loreto nachbildet, kamen später eine Josephs- und eine Annenkapelle hinzu. Bald war das Kirchlein Ziel einer überregional bedeutenden Wallfahrt. Sie zählt mit Sankt Ottilien zu den der Münsterpfarrei inkorporierten Freiburger „Waldheiligtümern". Die ebenfalls zugehörige Valentinskapelle bei Günterstal ist im 18. Jahrhundert säkularisiert worden, bei den beiden anderen Wallfahrten konnten die Bürger dies verhindern. Eine weitere Erinnerung an die Schlacht bei Freiburg im August 1644 ist bis heute das Läuten der „Hosanna", der ältesten Glocke des Münsters, die jeden Freitagmorgen um 11.00 Uhr zum Gedenken an die Toten der Schlacht erklingt. Da dies die Tageszeit ist, zu der man die landesüblichen Teigwaren zubereitet, trägt die Hosanna auch den volkstümlichen Namen „Knöpfleglock".

Eine letzte Belagerung Freiburgs durch französisch-weimarische Truppen im Juni 1648 blieb durch glückliche Fügung – das Heer wurde in die Picardie beordert – ohne Erfolg. Der Westfälische Frieden wurde am 13. Dezember von der Kanzel des Münsters verkündet und die Bürger feierten das Ende des großen Krieges mit einem festlichen Gottesdienst, mit Glockengeläut und Böllerschüssen. Die Kriegsjahre hatten indes große Schäden hinterlassen: Mauern und Tore waren schwer beschädigt, die Vorstädte im Norden und Westen waren zerstört und entvölkert, das Umland der Stadt mit Wäldern, Äckern und Rebbergen war verwüstet. Die Zahl der Einwohner war von etwa 12 000 vor dem Krieg auf kaum 3000 zurückgegangen, die Stadtkasse war leer, viele Bürger waren verarmt.

Nach dem Krieg ist vor dem Krieg

Die politischen Verhältnisse am Oberrhein hatten sich durch den Friedensschluss 1648 völlig geändert. Das Elsass war Frankreich zugesprochen worden, das zudem mit Breisach am Rhein einen wichtigen Brückenkopf auf Reichsgebiet erhalten hatte. Freiburg war somit in die Rolle einer Grenzstadt geraten und sah sich nach wie vor ständiger Kriegsgefahr ausgesetzt. 1651 wurde die Stadt zum Sitz der vorderösterreichischen Regierung und Kammer, die zuvor im elsässischen Ensisheim residiert hatte. Die Bürgerschaft war skeptisch, denn sie befürchtete Eingriffe in die städtische Selbstverwaltung und eine Beschneidung der angestammten städtischen Rechte und Freiheiten.

Die Regierung beschloss angesichts der anhaltenden Bedrohung durch Frankreich den Ausbau Freiburgs zur Festung mit ständiger Garnison. Die Bürger hatten die Stadtmauern und Tore auf eigene Kosten wiederherzustellen, dazu wurden ihnen Beiträge und Personalleistungen für den weiteren Ausbau der Festungsanlagen, Einquartierungslasten sowie Steuern und Abgaben zur Versorgung der Truppen aufgebürdet, was langfristig eine Gesundung der städtischen Wirtschaft verhinderte.

Beim Ausbau der Verteidigungsanlagen durch den aus einer berühmten Innsbrucker Baumeisterfamilie stammenden Festungsbaumeister und Oberschultheißen von Bräunlingen, Elias Gumpp, wurden die Mauern der Innenstadt und der Vorstädte instand gesetzt und mit modernen Vorwerken versehen. Während man vor der Schneckenvorstadt und auf dem Gebiet der Prediger- und Lehenervorstadt große steinverkleidete Bastionen aufschüttete, blieben dem Norden zum Schutz nur die bestehenden Mauern der Neuburg und der Kernstadt. Im Kriegsfall sollten die Bewohner, die sich allmählich wieder in der zerstörten Vorstadt einrichteten, ihre Häuser abbrechen und sich in die Kernstadt zurückziehen. Über einen gedeckten Weg verband Gumpp das Burghaldenschloss mit der Stadt und baute es zur starken Bergfestung aus. Auf der Höhe des Schlossbergs entstand das später „Salzbüchsle" genannte „Carlseck".

Den so genannten Holländischen Krieg, den Ludwig XIV. 1672 gegen die Vereinigten Niederlande begonnen hatte, und in dem das Reich an deren Seite getreten war, nutzte der „Sonnenkönig" zu einer Offensive am Oberrhein: Am 9. November 1677 begann der französische Marschall François de Crequi mit einer Belagerung, die schon nach sechs Tagen mit der Einnahme Freiburgs endete. Der Angriff war von Norden über die weitgehend ungeschützte Neuburg erfolgt. Sofort begannen die Franzosen mit der Reparatur der Befestigung und der Erstellung weitergehender Pläne zum Ausbau der Anlagen.

Freiburg unter der Krone Frankreichs (1677–1697)

Der Holländische Krieg endete 1678 mit dem Friedensvertrag von Nijmegen, der am 5. Februar 1679 in Kraft trat. Die Niederlande gelobten darin gegen die Rückgabe ihrer Territorien Neutralität, die Franche-Comté ging aus spanischem in französischen Besitz über und Freiburg, Lehen, Betzenhausen sowie Kirchzarten wurden im Tausch gegen die französisch besetzte Festung Philippsburg an Frankreich abgetreten. Der Friedensvertrag regelte auch die Nutzung der Straße zwischen der französischen Festung Breisach am Rhein und Freiburg, das nur über diesen Korridor mit dem Königreich verbunden war, und Ludwig XIV. befahl endgültig den Ausbau Freiburgs zur vorgeschobenen Festung gegen das Reich.

Die vorderösterreichische Regierung und die Universität waren aus Freiburg geflüchtet. Waldshut am Hochrhein wurde für die nächsten Jahre Regierungssitz. 1686 wurde in Konstanz eine Exil-Universität als Rechtsnachfolgerin der Freiburger Hochschule eröffnet und trat in Konkurrenz zu dem schon zwei Jahre zuvor in Freiburg eingerichteten „Studium Gallicum" (s. u.). Auch das Basler Domkapitel verließ jetzt nach 150 Jahren sein Freiburger Exil, zog zurück in die Schweiz und ließ sich nahe Basel in Arlesheim nieder. Freiburg wurde einem französischen Gouverneur unterstellt, der nicht nur in militärischen Belangen sondern auch im zivilen Bereich das Sagen hatte. Formell blieben zwar die meisten Rechte der Stadt bestehen, doch suchten die französischen Behörden überall ihren Einfluss geltend zu machen.

Die traurige wirtschaftliche Lage dauerte an, verstärkt durch die Tatsache, dass Freiburg von seinem Umland und den dortigen Märkten weitgehend abgeschnitten war. Zahlreiche Mühlen im Umfeld der Stadt und in den Vorstädten waren abgeräumt worden. Dies traf vor allem die Edelsteinschleifer hart: Selbst die noch erhaltenen Schleifmühlen konnten mangels Wasserzufuhr nicht mehr arbeiten, zudem war Freiburg vom Import der hier weiterverarbeiteten Granatsteine aus Böhmen abgeschnitten. Das zuvor blühende Gewerbe war damit praktisch zum Erliegen gebracht worden.

Der schon 1677 hinzugezogene Festungsbaumeister Thomas de Choisy hatte vor, den überkommenen Bestand zu erhalten, auszubauen und zu modernisieren. Im Juli 1678 besichtigte Kriegsminister Louvois zusammen mit dem Marquis de Vauban die Stadt. Der berühmte Ingenieur-Architekt erhielt den Auftrag, die Festung nach eigenen Plänen auszubauen und mit der Neubefestigung des Schlossbergs zu beginnen. In wenigen Jahren entstanden das dortige ausgedehnte, dreigliedrige Festungswerk und der mächtige Bastionenring um die Stadt. Die Vorstädte wurden endgültig aufgegeben, lediglich die südlich gelegene „Schneckenvorstadt" blieb bestehen. Um hier Platz für Bastionen und Gräben zu schaffen, wurde die Dreisam in einem großen Bogen nach Süden umgeleitet.

Vauban – Ingénieur de France (1633–1707)

Sébastien le Prestre, der spätere Marquis de Vauban, stammte aus dem ländlichen Adel in Burgund, war 1651 im Alter von 18 Jahren in das burgundische Regiment Condé eingetreten und hatte erste Erfahrungen im Festungsbau machen können. In der königlichen Armee machte Vauban Karriere als exzellenter Stratege und Festungsarchitekt. 1678 ernannte ihn der König zum Generalkommissar seiner Festungen, 1703 erlangte er als Maréchal de France den höchstmöglichen Rang im Heer. In 56 Berufsjahren hat Vauban über 30 neue Festungen geplant, mehr als 400 Projekte für über 160 Plätze geliefert und zahlreiche bestehende Festungsanlagen modernisiert. Er verband die

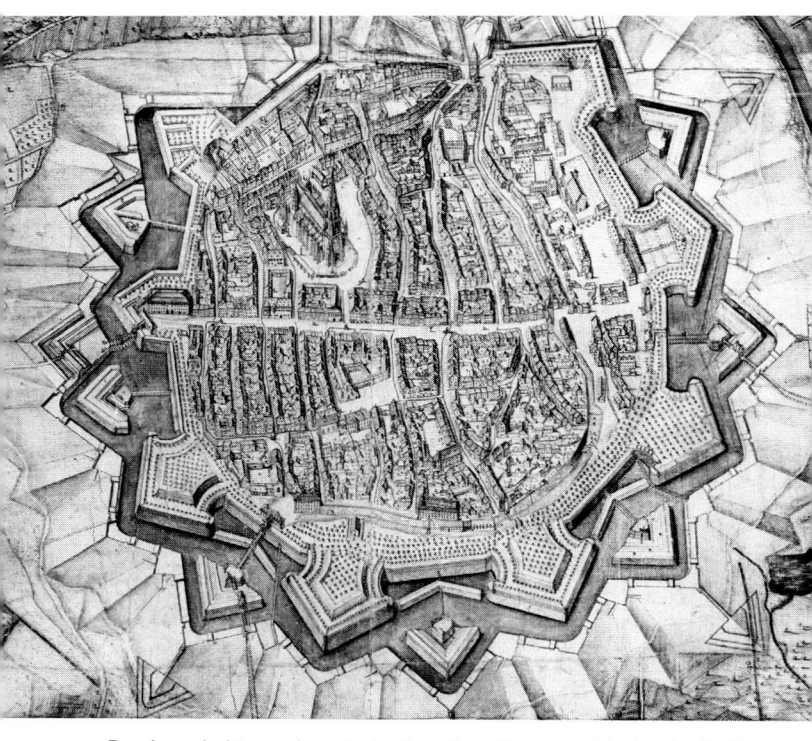

Der Ausschnitt aus dem eindrucksvollen „Pergamentplan" zeigt Freiburg im Ring der Bastionen Vaubans. Lavierte Federzeichnung auf Pergament, wohl von Melchior August de la Venerie, zwischen 1706 und 1713.

praktische Erfahrung als Befehlshaber vieler Schlachten und Belagerungen mit dem Beruf des planenden Ingenieur-Architekten.

Neben seiner eigentlichen Tätigkeit beschäftigte sich Vauban mit Fragen der Stadtplanung, der Landwirtschaft, des Finanz- und Steuerwesens sowie der Philosophie und Religion. Die von Vauban in seinem Todesjahr 1707 anonym herausgegebene Denkschrift *Projet d'une dîme royale* zu einer Reform der vor allem die Landbevölkerung drückenden Steuern brachte ihn beim König in Ungnade. Er starb am 30. März in Paris und wurde in der kleinen Kirche unterhalb seines Schlosses Bazoches in der Nähe von Vézelay begraben.

Für den Bau der Festungsanlagen wurden den Bürgern hohe Kontributionen und Arbeitsleistungen auferlegt. Immerhin wurde von der französischen Verwaltung eine Anzahl von Kasernen gebaut, die jedoch nur wenig Entlastung von Einquartierungen brachten. Weite Kreise der Stadtbevölkerung – Klerus, Adel und Universitätsangehörige – waren von Einquartierungslasten ausgenommen, was die Situation für die übrigen Bewohner zusätzlich verschärfte. Immer wieder kam es durch die beengten Verhältnisse zu Spannungen, und häufig wird auch von Übergriffen betrunkener Soldaten auf Frauen und Mädchen berichtet. Doch es gab auch die friedliche Koexistenz bis hin zu nicht wenigen Heiraten zwischen Zugezogenen und Einheimischen.

Am 17. und 18. Oktober 1681 besuchte Ludwig XIV. seine neue Festung und residierte im Basler Hof. Anlässlich seines Besuchs stiftete er der Stadt einen weiteren Jahrmarkt und einen Pferdemarkt. Für den Neubau eines Klosters innerhalb der Fortifikationen erhielten die durch den Festungsbau endgültig von ihrem angestammten Ort vertriebenen Adelhauser Dominikanerinnen Mittel der Krone. Intensive Förderung erfuhren auch die Jesuiten, die 1682/83 den Neubau einer Kollegienkirche beginnen konnten, die schon im März 1689 benutzbar war. Im Herbst 1684 wurde mit einer Dankadresse an Ludwig XIV. die Universität neu eröffnet. Die Stadt selbst hatte die Neueinrichtung einer Hochschule aus dem Restbestand der 1677 geflohenen Universität betrieben. Für das zweisprachige „Studium Gallicum" wurde sowohl in Frankreich als auch auf vorderösterreichischem Gebiet intensiv geworben, und in der Tat studierten bald auch wieder Bürgersöhne aus vorderösterreichischen und schwäbischen Städten in Freiburg. Auch die Frauenbildung erhielt einen entscheidenden Impuls: 1696 ließen sich Ursulinen aus Luzern in einem Haus an der Schiffstraße nieder und begannen mit dem provisorischen Unterrichtsbetrieb. Der Frauenorden unter der geistlichen Führung der Jesuiten bot Mädchen einen Lehrplan, der dem für Knaben in den Jesuitengymnasien entsprach.

Die Rückkehr zum Reich

Der Frieden von Rijswijk beendete 1697 den Pfälzischen Erbfolgekrieg oder Orléanschen Krieg. König Ludwig XIV. hatte
nach dem Tod Karls II., des letzten Pfälzer Kurfürsten aus der
Wittelsbacher Linie Pfalz-Simmern, im Jahr 1685 für dessen
Schwester Elisabeth Charlotte („Liselotte von der Pfalz"), Gattin seines Bruders Philipp von Orléans, Erbansprüche auf die
Kurpfalz geltend gemacht und fiel 1688 in die Pfalz ein. Klares
Kriegsziel war Expansion auf Kosten des Reichs, das im Osten
durch die Türken bedroht wurde, was Frankreich als strategischen Vorteil nutzen wollte. Die 1689 geschlossene „Große
Allianz" zwischen dem Reich, England, den Niederlanden und
weiteren Verbündeten brachte jedoch die französischen Ambitionen zum Stillstand. Nach dem Friedensvertrag konnte
Frankreich zwar Straßburg und das gesamte Elsass behalten,
musste aber Lothringen und die anderen besetzten Gebiete
des Reichs räumen.

Am 30. Oktober 1697 wurde also die Rückkehr von Freiburg und Breisach zum Reich vereinbart. Da Frankreich offenbar mit einer Rückgabe seiner Festungen gerechnet hatte, war
auf elsässischem Gebiet schon zuvor mit dem Bau der als
komplette Neuplanung entworfenen Festungsstadt Neuf-Bri-
sach begonnen worden. Am 11. Juli 1698 nahm der Graf von
Fürstenberg im Auftrag Kaiser Leopolds I. Freiburg wieder
offiziell in Besitz. Die Regierung kam aus Waldshut zurück
und zog in den Basler Hof. Das „Studium Gallicum" wurde
geschlossen und machte den Rückkehrern aus Konstanz Platz.
Freiburg blieb allerdings Festungsstadt und die Bürger mussten nach wie vor mit Einschränkungen und Einquartierungen
leben. Die Militärverwaltung sorgte für den weiteren Ausbau
und die Unterhaltung der Festungsanlagen, die ständig ein-
satzbereit gehalten wurden.

Mit dem Tod des kinderlosen Königs Karl II. am 1. November 1700 erlosch die Linie der spanischen Habsburger.
Zwar hatte Karl II. den Enkel des Sonnenkönigs Philipp von
Anjou zum Thronerben bestimmt, doch erkannte Kaiser Leopold I. das Testament nicht an. Andere europäische Mächte

sahen in der Verbindung von Frankreich und Spanien eine Bedrohung. 1701 brach der Spanische Erbfolgekrieg aus, bei dem Frankreich lediglich die Kurfürsten von Bayern und Köln sowie der Herzog von Savoyen gegen das mit England, den Niederlanden, Preußen, Hannover und Portugal verbündete Reich zur Seite standen.

Erst nach dem Tod des Markgrafen Ludwig Wilhelm von Baden („Türkenlouis") im Januar 1707 gelang es den Franzosen, im Südwesten des Reichs vorzudringen. Vom Brückenkopf (Alt-)Breisach, das seit 1703 wieder in französischer Hand war, zogen Truppen durch den Breisgau und verwüsteten das Land. Ende September 1713 zog Marschall Claude-Louis Héctor Duc de Villars mit 150 000 Mann vor Freiburg und begann eine mehrwöchige Belagerung der von etwa 8000 österreichischen Soldaten verteidigten Festung. Am 1. November konnte Villars die Stadt einnehmen, die auf dem Schlossberg verschanzte Garnison kapitulierte erst zwei Wochen später.

Die Heldentat des Stadtschreibers

Nachdem er die Stadt über vier Wochen unter erheblichen Verlusten gehalten hatte, befahl Festungskommandant Ferdinand Amadeus von Harrsch den Rückzug der verbliebenen Truppen in die Festung auf den Schlossberg und musste damit die Stadt schutzlos den Belagerern preisgeben. Zurückgebliebene Soldaten und freigelassene Kriegsgefangene beschafften sich Waffen und begannen mit Plünderungen. In dieser gefährlichen Situation bestieg der Freiburger Ratsschreiber Franz Ferdinand Meyer die Bastion beim Predigertor, hisste die weiße Fahne und gab das Signal zur Übergabe der Stadt. Vertreter des Rates konnten bei Villars die Bedingungen für eine kampflose Übergabe der Stadt und den Schutz vor weiteren Übergriffen aushandeln.

Für seine mutige Tat, mit der er Freiburg vor der Brandschatzung und Plünderung bewahrt hat, erhob Kaiser Karl VI. den Ratsschreiber 1715 in den Adelsstand und verlieh ihm den erblichen Titel eines Freiherrn von Fahnenberg.

Auch die Leistungen des Festungskommandanten, dem Villars nach der Übergabe der Schlossbergfestung einen ehrenvollen Abzug gewährt hatte, wurden vom Kaiser anerkannt. 1714 erhob er den Reichsfreiherrn in den Grafenstand und nahm ihn in den Hofkriegsrat auf. Nach dem Abzug der Franzosen im Januar 1715 führte von Harrsch die kaiserlichen Truppen wieder als Stadtkommandant nach Freiburg zurück.

Der Spanische Erbfolgekrieg endete mit dem zwischen Frankreich und dem Kaiser am 7. März 1714 in Rastatt ausgehandelten Frieden, der am 7. September auf einem Kongress in Baden im Aargau für das ganze Reich angenommen wurde. Der Kaiser erhielt die spanischen Niederlande, Neapel, Mailand, Mantua und Sardinien. Frankreich durfte von seinen Eroberungen lediglich Landau behalten, die mit Frankreich gegen den Kaiser verbündeten Kurfürsten von Bayern und Köln erhielten ihre Länder und Würden zurück. Am 18. Januar 1715 verließ die französische Besatzung Freiburg.

Trotz der Einnahme und Besetzung durch Frankreich hatte die Festung Freiburg auch im Spanischen Erbfolgekrieg ihren eigentlichen Zweck erfüllt. Sie hatte die feindlichen Truppen durch die langwierige Belagerung gebunden und den weiteren Vormarsch über den Schwarzwald bis zum Einbruch des Winters aufgehalten. Bis zum Frühjahr hielten sich Truppen üblicherweise in ihren Winterquartieren auf, denn die Versorgung einer kämpfenden Armee hätte in der kalten Jahreszeit nicht gewährleistet werden können.

Noch ein weiteres Mal fiel der Stadt diese Aufgabe zu, denn 1740 war erneut Krieg ausgebrochen. Angesichts des Konfliktes um die Erbfolge in Spanien hatte Kaiser Karl VI. am 19. April 1713 die „Pragmatische Sanktion" erlassen, ein Hausgesetz, das die Unteilbarkeit aller habsburgischen Länder festlegte und dort die weibliche Erbfolge gestattete. Letzteres war notwendig geworden, weil der Kaiser keine überlebenden männlichen Nachkommen hatte. Nach dem Tod des Kaisers 1740 erkannten einige deutsche und europäische Fürsten die „Pragmatische Sanktion" nicht an. Neben den Kurfürsten Karl Albrecht von Bayern und Friedrich August von Sachsen (als August III. König von Polen) erhob auch König Philipp V. von Spanien gegen Karls älteste Tochter Maria Theresia Ansprüche auf die Österreichischen Erblande. Friedrich II. („der Große") von Preußen beanspruchte aufgrund alter Verträge Schlesien, das er am 16. Dezember 1740 besetzte.

Damit hatte der Österreichische Erbfolgekrieg begonnen, in dem zunächst Bayern, Spanien und Frankreich, später auch Preußen, Sachsen, Schweden, Neapel, die Kurpfalz und Köln gegen Österreich, England und die Niederlande standen. Mit Hilfe Frankreichs drang der bayerische Kurfürst bis nach Niederösterreich vor und besetzte Böhmen. In Prag ließ sich Karl Albrecht am 9. Dezember 1741 von den böhmischen Ständen zum König krönen und nannte sich fortan „Erzherzog von Österreich". Am 24. Januar 1742 wurde er zum Römischen Kaiser gewählt und am 12. Februar als Karl VII. im Frankfurt am Main gekrönt. Zur selben Zeit marschierten die Truppen Maria Theresias, die sich inzwischen durch einen Waffenstillstand mit Preußen Luft verschafft hatte, in München ein.

Wieder blieb der Südwesten des Reichs nicht verschont. Im September 1744 stand ein französisches Heer vor Freiburg, das in den nächsten Wochen eine verheerende Kanonade erlebte. Wie bei zahlreichen Schlachten zuvor bot sich der Lorettoberg als idealer Feldherrenhügel an. König Ludwig XV. beobachtete von hier aus am 11. Oktober 1744 die Belagerung der Stadt und wäre fast von einer vom Schlossberg abgeschossenen Kanonenkugel getroffen worden. Da man zuvor vereinbart hatte, dass die königliche Stellung im Gegenzug zur Schonung des Münsters nicht beschossen werde, folgte umgehend die Entschuldigung des kaiserlichen Festungskommandanten. Die verirrte Kanonenkugel wurde mit einer Inschrifttafel über dem Eingang zur mittleren Lorettokapelle eingemauert.

Wie schon 1713 wurde auch 1744 zunächst die Stadt übergeben. Sie fiel am 8. November, die Truppen auf dem Schlossberg kapitulierten erst am 25. November. Schon vor dessen Einnahme hatten die Franzosen mit der systematischen Zerstörung der Festungsanlagen begonnen. Frankreichs Politik konzentrierte sich zunehmend auf den Konflikt mit England, an einer dauerhaften Präsenz auf Reichsgebiet bestand kein Interesse mehr. Beim endgültigen Abzug am 30. April 1745 hinterließen die Franzosen einen über hundert Meter breiten Ruinengürtel um die Stadt, in der zahlreiche Gebäude durch die Belagerung vom Spätherbst, aber vor allem durch die anschließende Sprengung der Festungsanlagen schwer geschädigt worden waren.

Der Österreichische Erbfolgekrieg zog sich noch bis 1748 hin und endete mit dem Aachener Frieden. Österreich musste zwar zugunsten Spaniens auf seine Fürstentümer in Norditalien verzichten, konnte aber seine Stellung als Großmacht wahren. Schlesien war schon 1745 größtenteils an Preußen gefallen. Im Inneren boten die Erfahrungen aus den Kriegsjahren den Anlass für eine Verwaltungsreform. Kaiser Karl VII., seit 300 Jahren der erste Nicht-Habsburger auf dem Kaiserthron, war noch während des Krieges am 20. Januar 1745 verstorben. Im Füssen wurde Frieden mit Bayern geschlossen. Die Krone Böhmens fiel endgültig an Maria Theresia und die Kurfürsten wählten im September ihren Gatten, Franz Stephan von Lothringen, als Franz I. zum Römischen Kaiser.

Die Beurbarungsgesellschaft

Viele Freiburger Landbesitzer waren für den Festungsbau enteignet worden, der mehrere hundert Morgen wertvolles Land dauerhaft dem Acker- und Rebbau entzog. Die 1754 von der Regierung verfügte Rückgabe der Grundstücke gestaltete sich langwierig. Zwar entstanden schon bald die so genannten Glacis-Reben auf den ehemaligen Bastionen und auf dem Schlossberg, aber noch vierzig Jahre nach der Schleifung der Festung lagen 1200 Morgen um die Stadt brach und Grundnahrungsmittel mussten für teures Geld in der benachbarten Markgrafschaft Baden erworben werden. Nach langen Querelen mit dem zögerlichen Magistrat konnten die Zünfte mit Unterstützung aus Wien 1790 die Gründung der „Bürgerlichen Beurbarungsgesellschaft" durchsetzen und die gemeinschaftliche Kultivierung und Verpachtung des Brachlandes in die Wege leiten.

Schon ein Jahr nach der Gründung konnte die Beurbarungsgesellschaft erste Gewinne ausschütten und nach dem Abschluss der Maßnahmen war sie der größte Grundbesitzer auf Freiburger Gemarkung geworden. Aus ihr gingen noch heute bestehende Einrichtungen wie die Sparkasse, die kommunale Energieversorgung und mehrere Baugesellschaften hervor.

Die Reformen Maria Theresias

Maria Theresia leitete in den Vorlanden eine grundlegende und umfassende Verwaltungsreform ein, um Effizienz und finanzielle Leistungskraft zu stärken. Die jahrhundertelange Bindung zwischen den Vorlanden und Tirol wurde gelöst und 1752 durch die Landesherrin eine eigene Provinz „Vorderösterreich" geschaffen. Die alte ständische Regierung in Freiburg wurde der rein vom Landesfürsten abhängigen „Repräsentation und Kammer" in Konstanz unterstellt und behielt lediglich die Zuständigkeit für das Justizwesen. Als der österreichisch-französische Friede 1756 die ständige Kriegsgefahr beseitigt hatte, wurde die „Repräsentation und Kammer" nach Freiburg verlegt und 1759 mit der hiesigen Regierung vereinigt, um Kosten zu sparen.

Der „Weiberkrieg" von Freiburg

Im Februar 1756 waren zwei zünftige Freiburger Grempler (Kleinhändler) bei Heuweiler von markgräflichen Bauern als Wilderer gestellt worden, hatten sich aber nach Freiburg retten können. Die badischen Behörden im Emmendingen verlangten die Auslieferung. Im August 1757 wurden die beiden festgenommen und ins Freiburger Stadtgefängnis an der Turmstraße gebracht. Eine von den Ehefrauen der mutmaßlichen Wilderer angestachelte Volksmenge befreite die beiden Inhaftierten mit Gewalt aus dem Verlies. Der Aufruhr dauerte einige Tage an und verebbte schließlich. 1758 wurden die Rädelsführer bestraft, wobei die beteiligten Frauen recht milde Strafen erhielten.

Der im „Weiberkrieg" entflammte Volkszorn hatte sich in erster Linie gegen den 1754 ernannten Kreishauptmann Christoph Anton von Schauenburg und seine arrogante Amtsführung gerichtet. In ihm sah man die Verkörperung der Zentralmacht, die der Stadt und ihren Bürgern mehr und mehr Rechte entzog. Der Aufruhr schwächte seine Autorität entscheidend und leitete seinen Sturz ein. Nach einer Anzeige des Adels und der Stadt Breisach wegen finanzieller Unregelmäßigkeiten wurde er 1759 all seiner Ämter enthoben, verlor sein Vermögen und wurde für Jahre interniert.

Macht und Einfluss der breisgauischen Landstände, die nach wie vor in Freiburg tagten, blieben auch nach der Absetzung

Das 1769–73 von dem Franzosen Pierre Michel D'Ixnard für den Reichsfreiherrn Ferdinand Sebastian von Sickingen-Hohenburg errichtete Palais
mit seinem prachtvollen Treppenhaus fiel am 27. November 1944 einem
Brand zum Opfer. Aufnahme um 1920.

Schauenburgs weiterhin empfindlich beschnitten. Der Staat kontrollierte die Finanzen, und Beamte konnten nur noch mit Zustimmung der Landesherrschaft angestellt werden. Eine gleichzeitig durchgeführte Steuerreform, die erstmals auch städtischen, adligen und kirchlichen Besitz erfasste, sollte für größere Gerechtigkeit sorgen, aber auch die Staatseinkünfte erhöhen.

Der Universität, die sich zunächst einer Neuordnung der Lehrpläne nach Wiener Vorbild widersetzt hatte, wurde 1768 ein landesherrlicher Kommissar vorgesetzt. Die Reform der Universitäten zielte vor allem auf stärkeren Praxisbezug, insbesondere bei Juristen und Medizinern. Im letzteren Fall ermöglichten wohltätige Stiftungen wie die der reichen Freiburgerin Katharina Egg den praktischen medizinischen Unterricht im städtischen Armenspital. Im späteren Universitätsklinikum, das auch aus Stiftungsmitteln finanziert wurde, setzt sich diese Verbindung bis heute fort.

Nach der Aufhebung der Jesuiten im Jahr 1773 bezog die Universität das ehemalige Kolleg, das ihnen von Maria Theresia überlassen wurde. Das einstige jesuitische „Gymnasium Academicum" wurde zur Staatsanstalt, in die 1774 die bis dahin von der Stadt unterhaltene Lateinschule integriert wurde. Durch die Verstaatlichung und Neuorganisation des Schulwesens sollten der Bildungsstand und das praktische Können der Untertanen im Sinn der Aufklärung verbessert werden.

Die Fortsetzung der Reformen unter Joseph II.

Den Schlussstein im Frieden zwischen Österreich und Frankreich sollte die eheliche Verbindung zwischen den Häusern Habsburg und Bourbon bilden. Vom 4. bis 6. Mai 1770 besuchte Marie Antoinette, Tochter Maria Theresias und neue Kronprinzessin Frankreichs, die vorderösterreichische Hauptstadt Freiburg auf ihrer Brautreise durch die Vorlande. Bürgerschaft, Universität und Landstände feierten die Prinzessin mit zahlreichen Festveranstaltungen, Empfängen, Festarchitekturen, Illuminationen und Umzügen. Marie Antoinettes Bruder, Kaiser Joseph II., der in den Vorlanden seit 1765 Mitregent seiner Mutter war, besuchte Freiburg im Juli 1777 auf einer Rückreise von Frankreich und stieg im Wirtshaus „Zum Storchen" an der Großen Gass ab. Theateraufführungen oder Feuerwerk verbat sich der inkognito reisende Monarch. Freiburg ehrte den Landesherrn dennoch: Die Große Gass erhielt den Namen „Kaiserstraße".

Nach Maria Theresias Tod führte Joseph II. ihre Reformen fort. Er plante einen Einheitsstaat im Sinn des aufgeklärten Absolutismus, der lückenlos für die Belange seiner Bürger in allen Lebensbereichen sorgen sollte. Dies versuchte er durch häufig radikale und oft überstürzte Maßnahmen durchzusetzen. 1781 wurde die allgemeine Aufhebung der Leibeigenschaft verfügt. Mit der Magistratsreform 1783 wurden das Schultheißenamt und die städtische Gerichtsbarkeit abgeschafft. Die Zunftmeister durften zwar den Rat wählen, ihm aber nicht mehr angehören. Alle Ratsmitglieder mussten eine juristische Ausbildung haben, und an die Spitze des Gemeinwesens trat nun ein beamteter und auf Lebenszeit gewählter Bürgermeister.

Die Aufhebung von Klöstern, die nach Meinung des aufgeklärten Monarchen keinen gesellschaftlichen Zweck erfüllten, betraf in Freiburg 1782 als Erstes die Kartause Johannisberg und das Klarissenkloster beim Rathaus. 1784 wurde die Einrichtung einer zweiten Pfarrei in Freiburg verfügt und neben das Münster trat nun Sankt Martin als weitere Pfarrkirche. Die dort seit 500 Jahren angesiedelten Franziskaner mussten ins Augustiner-Eremitenkloster umziehen, die Augustiner selbst wurden zu Hilfsgeistlichen an der neuen Stadtpfarrei oder hatten Pfarrstellen auf dem Land zu übernehmen. Insgesamt wurden im Breisgau 36 Klöster durch die Reform aufgelöst, dazu zahlreiche Feldkapellen und Nebenkirchen, wie die Kirche des Freiburger Heiliggeistspitals. Das Wallfahrts- und Prozessionswesen wurde eingeschränkt und kirchliche Bruderschaften wurden aufgehoben. Diese Maßnahmen entsprangen keineswegs antiklerikaler Gesinnung, Joseph II. sah vielmehr in guter Seelsorge eine Stütze des Gemein-

Zum Einzug Marie Antoinettes ließen die vorderösterreichisch-breis-
gauischen Landstände südlich des heutigen Bertoldsbrunnens einen
24 Meter hohen Triumphbogen aus Holz, Gips und Farbe errichten.
Den Entwurf lieferte Christian Wentzinger. Kupferstich von Peter Mayer,
1770.

wesens. Gegen den Willen der Klöster setzte der Monarch die Gründung eines Generalseminars in Freiburg durch, an dem zukünftig Geistliche unter staatlicher Kontrolle nach einheitlichen Richtlinien ausgebildet werden sollten. Das Glaubensmonopol der katholischen Kirche wurde allerdings durch Josephs Toleranzgesetze gebrochen: Mit dem Dichter und Publizisten Johann Georg Jacobi wurde 1784 der erste Protestant als Professor für „Schöne Wissenschaften" an die Freiburger Universität berufen, die ihn 1791 sogar zum Rektor wählte.

Das Ende der vorderösterreichischen Herrschaft im Breisgau

Ein Rückzug Österreichs aus der vom Mutterland getrennten „Schwanzfeder des Kaiseradlers" im deutschen Südwesten hatte sich schon unter Joseph II. angedeutet und blieb auch unter seinen Nachfolgern ein Thema. Ziel der Politik war nun die Schaffung eines Flächenstaates mit leicht zu verteidigenden Grenzen. Als erhaltenswert für Österreich wurden lediglich Vorarlberg und das Gebiet um Konstanz angesehen.

Nach dem Ausbruch der Französischen Revolution 1789 kursierten im grenznahen Breisgau schnell Flugblätter und Schriften mit revolutionären Inhalten. Die Regierung setzte Spitzel ein, um die Stimmung in der Bevölkerung auszukundschaften, und beobachtete argwöhnisch die große Zahl von Emigranten, die aus Frankreich nach Freiburg strömten. Sie waren der Obrigkeit als potenzielle „Kundschafter und Spione Frankreichs" höchst verdächtig. Zu Beginn des Jahres 1793 war König Ludwig XVI. in Paris hingerichtet worden. Königin Marie Antoinette kam am 16. Oktober unter die Guillotine. Beider wurde im Freiburger Münster mit Seelenämtern gedacht.

Nachdem im Elsass Rechte deutscher Fürsten verletzt worden waren, rüstete sich das zunächst auf Neutralität bedachte Österreich gegen Frankreich, das dem Kaiser am 20. April 1792 den Krieg erklärte. Nach den unerwarteten Erfolgen der Revolutionsarmee wurden im Herbst Regierung

106

und Justizbehörden von Freiburg nach Konstanz verlegt. Angesichts einer drohenden Invasion bildeten Freiburger Bürger und Studenten am 28. Dezember 1793 das „Freiwillige Bürger-Ehrencorps" von zunächst 373 Mann. Später stellte die Stadt vier Kompanien, die dem General Maximilian von Duminique als Oberbefehlshaber der Landesverteidigung unterstellt waren und im September 1795 zur Sicherung des Rheinufers eingesetzt wurden.

Im Juli 1796 überschritten die Franzosen unter General Jean Victor Moureau bei Kehl den Rhein. In den anschließenden Gefechten bei Wagenstadt und Tutschfelden (Landkreis Emmendingen) konnte das Freiburger Corps zusammen mit den anderen Milizen den französischen Vormarsch nur kurz aufhalten. Am 16. Juli rückte Moureau in Freiburg ein und besetzte die Stadt. Nach den Erfolgen der kaiserlichen Truppen unter Erzherzog Karl von Österreich mussten sich die inzwischen bis Bayern vorgedrungenen Franzosen wieder zurückziehen und verließen Freiburg am 6. Oktober. Der Erzherzog wurde am 28. Oktober in Freiburg begeistert empfangen. Die Bürger ehrten ihn mit der Umbenennung der landständischen Kaserne in „Karlskaserne", und die Universität trug ihm das Ehrenrektorat auf Lebenszeit an.

Freiburg fällt an Modena (1803–1805)

Der Friedensschluss von Campo Formio (eigentlich Campo-formido bei Udine), den Napoleon für Frankreich und Kaiser Franz II. für Österreich und das Reich unterzeichneten, beendete am 17. Oktober 1797 den so genannten Ersten Koalitionskrieg. Freiburg und der Breisgau wurden darin Ercole (Herkules) III. d'Este, Herzog von Modena, zugesprochen, der 1796 von Napoleon abgesetzt worden war. Für Vorderösterreich blieb zunächst alles beim Alten, da Herkules die als zu gering empfundene Herrschaft nicht antrat. Der nach dem Zweiten Koalitionskrieg (1798–1801) am 9. Februar 1801 geschlossene Frieden von Lunéville bestätigte die Beschlüsse von Campo Formio, darunter auch die Übergabe des Breisgaus an den Herzog von Modena. Nachdem das Gebiet in einem Zusatzabkommen um die Ortenau erweitert worden war, nahm es Herkules III. in Besitz und setzte seinen Schwiegersohn Erzherzog Ferdinand von Österreich, einen Sohn Maria Theresias, als Verwalter und Erben ein. Die feierliche Übergabe des Landes fand am 2. März 1803 statt.

Ferdinand regierte von Wiener Neustadt aus als Landesadministrator, nach dem Tod seines Schwiegervaters im Oktober 1803 von Wien aus als „Regierender Herzog in Breisgau und Ortenau" und ernannte vor Ort den vormaligen vorderösterreichischen Regierungsrat Hermann von Greiffenegg zum Regierungspräsidenten. Damit blieben der Breisgau mit Freiburg und die Ortenau faktisch unter der Herrschaft einer Nebenlinie des Hauses Habsburg und unter österreichischer Verwaltung.

Nach seiner Proklamation zum Kaiser der Franzosen hatte Napoleon erneut territoriale Ansprüche am Oberrhein geltend gemacht und Ende 1804 seinen General Jean-Nicholas de Monard zum Intendanten für den Breisgau und die Ortenau bestimmt. Im Dritten Koalitionskrieg (1805) erklärte das Herzogtum Modena seine Neutralität, musste aber erhebliche Kontributionen an Frankreich leisten. Am 26. Oktober 1805 besetzten erneut 5000 französische Soldaten Freiburg. Nach seinen Siegen bei Ulm und Austerlitz konnte Napoleon den unterlegenen Österreichern am 26. Dezember 1805 den Frieden von Pressburg diktieren, in dem die ehemals vorderösterreichischen Gebiete auf Württemberg und Baden verteilt wurden. Das künftige Großherzogtum Baden sollte mit den neuen Königreichen Württemberg und Bayern eine Pufferzone zwischen Frankreich und dessen Feinden Österreich, Preußen und Russland bilden.

Am 15. Januar 1806 zog die badische Regierung in Freiburg ein. Die feierliche Übergabe des Landes durch General Monard in Napoleons Namen an den badischen Hofkommissär Karl Wilhelm Ludwig Drais von Sauerbronn fand am 15. April 1806 im Freiburger Münster statt. Am 29. und 30. Juni huldigte die Bevölkerung des Breisgaus erstmals der neuen Landesherrschaft und leistete auf dem Freiburger Münsterplatz den feierlichen Eid auf den Kurfürsten Karl Friedrich von Baden. Die Rangerhöhung zum Großherzog erhielt Karl Friedrich mit dem Beitritt Badens zum Rheinbund im Juli 1806.

Das Haus Baden – Freiburgs neuer Landesherr

Das Haus Baden geht auf eine Seitenlinie der Zähringer zurück, die sich nach der Burg Hohenbaden über der heutigen Stadt Baden-Baden benannte. Zu den angestammten badischen Herrschaftsgebieten zählten Baden-Durlach, Baden-Baden, Baden-Hachberg bei Emmendingen und Sausenburg-Rötteln bei Lörrach, das noch heute als „Markgräfler Land" bezeichnet wird.

Die badischen Territorien waren seit 1535 unter den beiden Linien Baden-Baden und Baden-Durlach, die 1556 evangelisch wurde, aufgeteilt. Nach dem Aussterben der katholischen Baden-Badener Linie 1771 war die Markgrafschaft in der Hand Karl Friedrichs von Baden-Durlach wieder vereint. Seit dem Erwerb des Breisgaus führte er den Titel eines „Herzogs von Zähringen". Schon zuvor hatte sich das badische Haus um die Dokumentation seiner historischen Wurzeln bemüht.

Die Protektion Napoleons hatte dem Markgrafen 1803 nach

dem Reichsdeputationshauptschluss zunächst die Würde eines Kurfürsten und 1806 die Erhebung zum Großherzog mit einem auf das Vierfache erweiterten Staatsgebiet verschafft, zu dem unter anderem große Teile von Vorderösterreich, die rechts-rheinische Kurpfalz mit Heidelberg und Mannheim sowie das fürstenbergische Territorium hinzugekommen waren. Durch die Verheiratung seiner Adoptivtochter Stéphanie Beauharnais mit Karl Friedrichs Enkel, dem badischen Erbprinzen Karl, im April 1806 band Napoleon das Haus Baden auch dynastisch an Frankreich.

Aus der Ehe von Karl und Stéphanie gingen keine männlichen Erben hervor. Karls Nachfolger, sein Neffe Ludwig, regierte als letzter Großherzog aus der zähringischen Linie. Mit Ludwigs Halbbruder Leopold setzten die Nachkommen aus Karl Fried-richs zweiter Ehe die Dynastie fort. Karl Friedrich hatte nach dem Tod seiner ersten Frau die wesentlich jüngere Hofdame Luise Karoline Geyer von Geyersberg geheiratet und sie 1796 zur Reichsgräfin von Hochberg erheben lassen. Eine neue Erbregelung hatte 1818 ihren Nachkommen den Eintritt in die Erbfolge des Hauses Baden möglich gemacht.

Der frühe Tod des ersten Sohnes von Karl und Stéphanie sowie die Aufwertung der zunächst morganatisch – das heißt ohne Erbrechte für die Nachkommen – geschlossenen zweiten Ehe Karl Friedrichs waren die Quellen für die Gerüchte um Kaspar Hauser. In ihm sahen viele Zeitgenossen den echten badischen Erbprinzen, den die Reichsgräfin von Hochberg angeblich gegen einen todkranken Säugling austauschen ließ, um die Thronfolge für ihre eigenen Nachkommen zu sichern. Der Grab-stein des Majors Johann Heinrich David von Hennenhofer auf dem alten Freiburger Friedhof wurde noch lange mit einem „M" beschmiert, da der Major in der Bevölkerung als Mörder Hausers galt. Zu Beginn des 20. Jahrhunderts wurde der Stein entfernt.

Freiburg im Großherzogtum Baden (1806–1918)

Kaiser Franz II. legte am 6. August 1806 die Reichskrone nieder und erklärte das Heilige Römische Reich für aufgelöst. In Österreich, das er 1804 zum Kaisertum proklamiert hatte, regierte er als Franz I. weiter. Dem badischen Kurfürsten als neuem Landesherrn standen die ehemals österreichischen Freiburger mit großer Skepsis gegenüber. Schon Mitte Januar 1806 reiste eine Freiburger Delegation nach Karlsruhe, um dem Kurfürsten ihre Bitten vorzutragen. Dazu zählten unter anderem die Aufrechterhaltung der angestammten Rechte, die Beibehaltung der Universität und der Schulen, der Fortbestand des städtischen Stiftungswesens – aber auch die Fortdauer des seit dem 15. Jahrhundert bestehenden Niederlassungsverbotes für Juden. Ferner wurde gebeten, in Freiburg eine Garnison und Verwaltungsbehörden zu belassen. Im Mai ließ der Kurfürst mitteilen, dass er den Bitten entsprochen habe, und Freiburg wurde als „dritte Hauptstadt" in Baden neben Karlsruhe und Mannheim bestätigt.

Zum Geburtstag Karl Friedrichs am 22. November 1807 ließ die Stadt anstelle des Fischbrunnens auf der Hauptkreuzung von Kaiserstraße und Salz-/Bertoldstraße den ersten Bertoldsbrunnen errichten. Vordergründig war der Brunnen Herzog Bertold III. von Zähringen als dem Gründer der Stadt gewidmet, schlug aber auch die Brücke über fünf Jahrhunderte zu Großherzog Karl Friedrich von Baden, dem sein Vorfahr als verpflichtendes Beispiel eines Förderers der Stadt vor Augen gestellt werden sollte.

Die Befreiungskriege

1813 löste sich Baden aus dem Rheinbund, in dem sich 1806 deutsche Staaten unter dem Protektorat Napoleons vereinigt

111

Die kolorierte Lithografie des Freiburger Zeichenlehrers Karl Rösch mit einer Ansicht des Bertoldsbrunnens von Osten wurde zum 700-jährigen Stadtjubiläum 1820 gedruckt.

hatten, und wechselte ins Lager der antinapoleonischen Alliierten. Der Breisgau wurde Durchmarschgebiet von Truppen der Allianz; allein zwischen November 1813 und August 1814 suchten über 600 000 Soldaten Unterkunft in der Stadt. Die verbündeten Monarchen weilten mit zahlreichem Gefolge um die Jahreswende 1813/14 in Freiburg. Neben dem russischen Zaren Alexander I. waren dies König Friedrich Wilhelm III. von Preußen mit dem Kronprinzen Wilhelm und Großherzog Karl von Baden, der seinem 1811 verstorbenen Großvater nachgefolgt war. Unter den in Freiburg weilenden Staatsmännern befanden sich der Freiherr vom Stein, Wilhelm von Humboldt und Fürst Metternich, der mit Kaiser Franz I. von Österreich angereist war.

Dem österreichischen Kaiser war bei seinem Einzug in Freiburg am 15. Dezember 1814 von seinen ehemaligen Landeskindern ein begeisterter Empfang bereitet worden, denn weite Kreise der Bevölkerung hofften noch immer auf eine

Rückkehr zu Österreich. Der Wiener Kongress machte jedoch all diese Hoffnungen zunichte, und im Oktober 1815 wurde klar, dass der Breisgau bei Baden bleiben würde. Fünf Jahre später nutzten die Freiburger die Gelegenheit des 700-jährigen Stadtjubiläums, das badische Herrscherhaus der Loyalität von Stadt und Bürgerschaft zu versichern, indem sie feierlich eine Tafel zu Ehren von Großherzog Ludwig auf dem Schlossberg enthüllten.

Die Stadt war dem Großherzog in vielerlei Hinsicht zu Dank verpflichtet. Insbesondere hat er durch die Sicherstellung finanzieller Mittel im Juli 1820 endgültig für den Erhalt der Universität gesorgt. Seither nennt sich die Hochschule „Alberto-Ludoviciana" nach ihrem Gründer Albrecht und ihrem Erhalter Ludwig.

Freiburg wächst – Die neuen Vorstädte

Das rasante Wachstum der Stadt, das nach den Befreiungs-kriegen einsetzte, machte die Erschließung von Baugelände außerhalb des ehemaligen Festungsrings dringend notwendig: Von etwa 9000 Einwohnern im Jahr 1809 war die Bevölkerung bis 1823 bereits auf 14 500 Einwohner angewachsen.

Die systematische Planung erfolgte zunächst für das Quartier nördlich der Altstadt und wurde von Christoph Arnold (1779– 1844) übernommen, der seit 1819 als Kreisbaumeister in Frei-burg amtierte. Arnold war Schüler seines Onkels Friedrich Weinbrenner in Karlsruhe, wo er vor der Berufung nach Freiburg als Professor für Architektur tätig war. Sein 1819 vorgeschla-gener Bebauungsplan für die „Zähringer Vorstadt" mit detaillier-ten Vorschriften für Dimensionen und Gestaltung der Gebäude wurde 1826 genehmigt. Nach der „Zähringer Vorstadt" wurde ab 1842 das Quartier beiderseits der nach Süden verlängerten Kaiserstraße entwickelt. Um 1850 war die Dreisam mit der 1842 wieder erbauten Brücke erreicht, und die Bebauung der nörd-lichen Uferstraßen begann. Das vornehme Quartier erhielt den Namen „Stephanien-Vorstadt".

Spätere Umgestaltungen, vor allem aber das Bombardement vom 27. November 1944, haben nur wenige der wohlproportio-nierten spätklassizistischen Bauten der Biedermeierzeit hinter-lassen. Immerhin blieb mit dem wiederaufgebauten Merian-schen Haus am Siegesdenkmal eines der Hauptwerke jener Jahre zumindest im Äußeren erhalten.

Die Gründung des Erzbistums – Das Münster wird Dom

Eine Neuordnung der Bistümer schien durch die Umgestaltung der Territorien nach dem Ende Vorderösterreichs unumgänglich. Es bedurfte langwieriger Verhandlungen zwischen Staat und Kirche, bis eine vernünftige und einheitliche Lösung gefunden war: Das innerhalb Badens zentral gelegene Freiburg, das zudem mit dem Münster ein der Funktion einer Kathedrale würdiges Gotteshaus aufweisen konnte, wurde 1821 zum Sitz eines Erzbischofs bestimmt, mit den Bistümern in Fulda, Limburg, Mainz und Rottenburg als Suffragansitzen.

Schwierig gestaltete sich die Frage nach der Person des neuen Erzbischofs. Der seit 1817 als Bistumsverweser in Konstanz amtierende Generalvikar Ignaz Heinrich von Wessenberg war zwar Favorit der badischen Regierung und hatte großen Rückhalt beim aufgeklärten Bürgertum und in Teilen des Klerus, war aber als fortschrittlicher Theologe für Rom nicht akzeptabel. Am 21. Oktober 1827 wurde deshalb der Freiburger Münsterpfarrer und Philosophieprofessor Bernhard Boll in Anwesenheit von Großherzog Ludwig im Freiburger Münster als erster Erzbischof feierlich inthronisiert.

Die evangelische Gemeinde

Die erste evangelische Gemeinde in Freiburg wurde 1807 gegründet und bekam zunächst das ehemalige Allerheiligenkloster an der heutigen Schoferstraße als Kirche, Pfarrhaus und Schule zugewiesen. Für die neue Zähringer Vorstadt hatte Kreisbaumeister Christoph Arnold eine klassizistische Kirche ganz im Sinn der Weinbrennerschule vorgesehen, doch einer Anregung des ersten Freiburger Weihbischofs Joseph Vitus Burg folgend, ließ die Gemeinde durch den Architekten Heinrich Hübsch die romanische Kirche der aufgehobenen Zisterzienserabtei Tennenbach bei Emmendingen abtragen und – allerdings in stark modifizierter Form – in der Vorstadt wieder aufbauen. Bei der Grundsteinlegung am Ludwigstag, dem 25. August 1829, war sehr zum Ärger Roms Erzbischof Bern-

Die verändert nach Freiburg versetzte ehemalige Abteikirche Tennenbach bildete als evangelische Ludwigskirche einen markanten Akzent am nördlichen Eingang der Stadt. Kupferstich, gedruckt bei D. R. Marx in Karlsruhe, nach 1838.

hard Boll anwesend. Die Stadt unterstützte den Neubau, der den Namen des Großherzogs tragen sollte, unter anderem durch die Umwidmung von 15 000 Gulden, die eigentlich zur Errichtung eines Ludwigsdenkmals vorgesehen waren. Die Einweihung der Kirche fand allerdings erst nach dem Tod des Monarchen am 28. Juni 1839 statt. Im Zweiten Weltkrieg ist die Ludwigskirche 1944 zerstört worden.

Liberale Tendenzen – und ihr Scheitern

Auf der Basis der vorbildlichen badischen Verfassung von 1818 traten Politiker wie der Freiburger Historiker und Staatsrechtler Karl von Rotteck im Landtag für die Weiterentwicklung der bürgerlichen Freiheiten ein. Das Volk setzte große Hoffnungen in Großherzog Leopold von Baden, der seinem im März 1830 verstorbenen Halbbruder Ludwig nachgefolgt war, galt er doch als liberaler Fürst und aufrichtiger Verfechter der konstitutionellen Monarchie. 1831 erließ der Großherzog ein neues Pressegesetz mit weitgehenden Freiheiten. Es eröffnete Karl von Rotteck und seinem Kollegen Karl Theodor Welcker seit dem Frühjahr 1832 die Möglichkeit, in Freiburg die erste zensurfreie Zeitung Deutschlands „Der Freisinnige" herauszugeben. Die neue badische Gemeindeordnung von 1832 erweiterte die Selbstverwaltung der Städte und beendete das Wahlmonopol der Zünfte. Bürgermeister und Rat wurden nun von allen wahlberechtigten Männern gewählt.

Politischer Druck zwang Leopold im Juli 1832 zur Rücknahme des Pressegesetzes und zur Wiedereinführung der Zensur. Im September kam es in Freiburg zu Studentenprotesten, die Universität wurde geschlossen, Rotteck und Welcker wurden suspendiert. Ein deutliches Zeichen der Solidarität war die Wahl Rottecks zum Freiburger Bürgermeister im Januar 1833, die jedoch durch die Regierung in Karlsruhe nicht bestätigt wurde. Rotteck musste schließlich auf das Amt verzichten, setzte aber seine parlamentarische Arbeit als Abgeordneter der II. Badischen Kammer fort. Erst kurz vor seinem Tod im Jahr 1840 erhielt er sein Lehramt zurück. Die große Anteilnahme von Stadt- und Landbevölkerung an seinem Begräbnis war eine weitere eindrucksvolle politische Demonstration.

Fortschritt – Industrie und Eisenbahn

Am 30. Juli 1845 trafen Großherzog Leopold und seine Söhne Ludwig und Friedrich mit einem von der Lokomotive „Zähringen" gezogenen Sonderzug zur offiziellen Eröffnung des Bahnhofs in Freiburg ein. Friedrich Eisenlohr hatte die Bauten entworfen, die damals noch einige hundert Meter außerhalb der Stadt lagen, aber trotz der schwierigen Steigungsverhältnisse der Breisgauer Bucht war die Trasse entgegen der ersten Projekte so nahe wie möglich an die Stadt herangeführt worden. Bereits 1838 war der Bau einer ganz Baden von Norden nach Süden durchquerenden Strecke endgültig beschlossen worden. Schon zwei Jahre später fuhren die ersten Züge von Mannheim nach Heidelberg, 1843 war Karlsruhe erreicht, 1844 Offenburg und nun Freiburg. Wegen der aufwändigen Ingenieurbauten am Isteiner Klotz benötigte man bis zum Ende der Trasse in Basel noch weitere zehn Jahre.

Durch den Anschluss an die Bahnlinie erhoffte sich die Stadt zukunftweisende wirtschaftliche Impulse. Die in Freiburg ansässigen Firmen unterstützten das Eisenbahnprojekt nachhaltig. Dazu zählten der Fabrikant Carl Mez, der 1834 die Produktion in seiner neuen Seidenzwirnerei an der Kartäuserstraße aufnahm, oder Jeremias Risler aus Sennheim/Cernay im Elsass, der 1837 am Gewerbekanal eine Dependance der dortigen Woll- und Baumwollkratzenfabrik gründete, die 1840 selbstständig wurde. 1846/47 begann Risler mit René Dutfoy und zwei weiteren Geschäftspartnern die Porzellanknopffabrikation in einem Werk an der Schwarzwaldstraße.

Zur Erhaltung der Arbeitskraft ihrer Angestellten führten Mez und Risler ein ganzes System vorbildlicher sozialer Leistungen ein, zu denen betriebliche Krankenfürsorge, Sparkassen aber auch Werkswohnungen wie die noch bestehenden Rislerschen „Knopfhäusle" beim Alten Messplatz gehörten. Carl Mez verband aus einer tiefen protestantisch-christlichen Überzeugung heraus das Engagement für seine Arbeiter mit moralisch-pädagogischen Absichten. Als Abgeordneter der II. Badischen Kammer trat Mez seit 1844 für die Menschenrechte ein und gehörte in den Revolutionsjahren 1848/49 der Nationalversammlung in der Frankfurter Paulskirche und dem Stuttgarter Rumpfparlament an. 1859 stiftete der Unternehmer das noch heute bestehende Evangelische Stift.

Zu den größeren Betrieben in Freiburg zählten die seit

Die kolorierte Lithografie zeigt den von Friedrich Eisenlohr entworfenen Freiburger Bahnhof im Jahr 1845. Die Bahnsteighalle hinter dem Empfangsgebäude war mit 110 Metern Länge die größte in Baden.

1819 tätige Zichorienfabrik Kuenzer, die 1844 unterhalb der Kartaus anstelle älterer Papiermühlen eingerichtete Papierfabrik Flinsch, die 1864 gegründete Faulersche Eisengießerei und das Verlagshaus Herder, das 1808 von Meersburg nach Freiburg gezogen war und als einzige der genannten Firmen noch heute besteht. Trotz der beginnenden Industrialisierung blieb Freiburgs Wirtschaft allerdings vom mittelständischen Handwerk geprägt, und die Stadt entwickelte sich als Industriestandort bis zum Jahrhundertende nur langsam weiter.

Die Revolution 1848/49 in Freiburg

Das revolutionäre Feuer der „Februarrevolution", die 1848 zum Sturz der Monarchie in Frankreich geführt hatte, ergriff in kurzer Zeit die Staaten des Deutschen Bundes. Am 29. Feb-

ruar versammelten sich rund 800 Freiburger im Lokal der
Lesegesellschaft „Harmonie". Ein dort gewählter Volksaus-
schuss stellte einen Katalog revolutionärer Forderungen auf
und entsandte eine Delegation nach Karlsruhe, um diese der
Regierung zu unterbreiten. Am 7. März musste der konserva-
tive Freiburger Bürgermeister Friedrich Wagner dem gemäßigt
liberalen Joseph von Rotteck weichen, einem Neffen des 1840
verstorbenen legendären Vordenkers der Liberalen. Am 26.
März 1848 versammelten sich an die 25 000 Menschen auf
dem Münsterplatz und stimmten begeistert den Forderungen
nach Pressefreiheit, Volksbewaffnung und Schwurgerichten
zu. Hauptredner war der Mannheimer Rechtsanwalt Gustav
Struve, einer der Hauptprotagonisten des Volksaufstandes in
Baden.

Trotz dieses frühen Elans war Freiburg im Gegensatz zu
anderen badischen Städten kein revolutionäres Zentrum. Die

führenden Kräfte waren gegen Gewalt und eher auf Ausgleich bedacht. Dennoch schlossen sich auch Freiburger Freischärler dem Zug an, der nach der Ausrufung der Republik durch Friedrich Hecker am 12. April 1848 in Konstanz losmarschierte, um von Süden her die Anhänger der Revolution zu sammeln und nach Karlsruhe zu führen. Nach dem Scheitern des Heckerzuges zogen Freischärler unter Franz Sigel von Horben her auf Freiburg zu, um sich mit den Revolutionären in der Stadt zu vereinigen. Am 22. April 1848, dem Ostersonntag, kam es bei Günterstal zu einem Gefecht mit Bundestruppen, die die Revolutionäre in die Flucht schlugen. Am Ostermontag stürmten die Regierungstruppen die Barrikade am Schwabentor und besetzten die Stadt. Zahlreiche Revolutionäre, darunter Friedrich Hecker und Franz Sigel, flohen über die Schweiz in die USA.

Am 21. September 1848 rief Gustav Struve in Lörrach die Republik aus. Sein schlecht vorbereiteter Zug scheiterte drei Tage später in Staufen. Struve und seinem Schwager Karl Blind, die kurz vor der Schweizer Grenze verhaftet worden waren, wurde am 20. März 1849 in Freiburg wegen Hochverrats der Prozess gemacht. Es war das erste Schwurgerichtsverfahren in Baden. Die Einrichtung solcher Schwurgerichte war eine der Forderungen der Revolutionäre vom Frühjahr 1848 – darunter auch Struve selbst – gewesen.

Zu einem neuerlichen Ausbruch der Revolution kam es im April 1849, nachdem König Friedrich Wilhelm IV. von Preußen die ihm angebotene Kaiserkrone zurückgewiesen und die von der Nationalversammlung in Frankfurt ausgearbeitete Verfassung abgelehnt hatte. Die zweite badische Volkserhebung im Mai gestaltete sich ungleich radikaler als die erste. Der aus Karlsruhe vertriebene Großherzog Leopold rief preußische Truppen und Reichswehr zu Hilfe, die die zahlenmäßig unterlegenen Einheiten der Revolutionsregierung zurückdrängten. Die Regierung musste Ende Juni von Karlsruhe nach Freiburg fliehen und löste sich schließlich angesichts der Übermacht auf. Am 7. Juli 1849 marschierten die Preußen in Freiburg ein und begannen umgehend mit Säuberungsaktionen. Ein Standgericht verhängte hohe Zuchthausstrafen gegen verhaftete Revolutionäre und fällte drei Todesurteile. An den am 31. Juli 1849 erschossenen Max Dortu aus Potsdam erinnert bis heute das von seinen Eltern gestiftete Mausoleum auf dem alten Wiehremer Friedhof an der Erwinstraße. Das Stand- und Kriegsrecht blieb in Teilbereichen bis 1852 bestehen und noch auf Jahre mussten sich die Bürger an der „Umlage zur Bestreitung der Kosten für Unterdrückung des Maiaufstandes 1849" beteiligen.

Die Odyssee eines Denkmals

Bald nach dem Tod Karls von Rotteck 1840 hatte man in ganz Deutschland für ein Denkmal gesammelt, das in Freiburg an den liberalen Professor und seine Ziele erinnern sollte. Dem berühmten Bildhauer Ludwig Schwanthaler in München wurde die Ausführung des Denkmals vom bayerischen König Ludwig I. mit der Bemerkung verboten, Rotteck habe „nicht ein Ehrenmal sondern eine Schandsäule" verdient. Das Denkmalkomitee vergab den Auftrag daraufhin an den Frankfurter Bildhauer Johann Nepomuk Zwerger.

Die Aufstellung des Denkmals im Herbst 1847 wurde jedoch von der Kreisregierung verhindert, und erst im Spätjahr 1848 durfte es auf dem Franziskanerplatz nahe des Rathauses errichtet werden. Die Hoffnung der Demokratiebewegung, es als Siegeszeichen für den erfolgreichen Umsturz zu enthüllen, erfüllte sich indes nicht: Noch weitere zwei Jahre blieb Rottecks Büste hinter Brettern verborgen. Der Verschlag wurde erst im Mai 1850 inoffiziell entfernt, da der Anblick den im Rathaus residierenden neuen preußischen Stadtamtsdirektor gestört hatte. Kaum ein Jahr später ließ er das Denkmal in einer ebensolchen Nacht- und Nebelaktion abräumen. An seine Stelle trat 1852 der politisch unverfänglichere Bertold-Schwarz-Brunnen.

Das Modell des Freiburger Rotteckdenkmals diente wahrscheinlich als Souvenir. Es ist aus bemaltem Gips und wohl um 1850 entstanden.

Das Rotteck-Denkmal verschwand in der Versenkung, bis es auf Initiative des Oberbürgermeisters Eduard Fauler 1861 vor Rottecks einstigem Wohnhaus am Rotteckring aufgestellt und im Mai 1862 feierlich eingeweiht wurde. Mit der Ernennung liberaler Minister durch Großherzog Friedrich I. war die badische Politik gerade in eine neue Phase getreten. 1937 stand das Denkmal der Anlage eines Omnibusparkplatzes beim Verkehrsamt im Weg und wurde an das Rotteckgymnasium versetzt. Nach dem Abbruch der Schule für den Neubau der Universitätsbibliothek 1972 wanderten Büste und Sockel erneut auf den Bauhof. Im Vorfeld eines Familientreffen der Rottecks – darunter auch die Nachfahren von Rottecks nach der Revolution 1848/49 in die USA ausgewandertem Sohn, dem republikanischen Politiker Karl von Rotteck junior – wählte man den heutigen Standort vor dem Kollegiengebäude II aus, wo das Denkmal 1981 seinen vielleicht endgültigen Platz gefunden hat.

Freiburg nach der Revolution –
Die Aussöhnung mit der Staatsmacht

Nach dem Tod Großherzog Leopolds gelang dem neuen Prinzregenten Friedrich I. – bis zur Proklamation zum Großherzog 1856 regierte er im Namen seines geisteskranken Bruders – die Aussöhnung von Volk und Souverän. Er beendete das seit 1849 bestehende Kriegsrecht und erließ eine Amnestie für politische Gefangene. Friedrich war durch seine Gemahlin Prinzessin Luise von Preußen dynastisch mit dem führenden deutschen Staat verbunden. Er verfocht wie dieser die „nationale Wiedergeburt Deutschlands", allerdings – im Gegensatz zu Bismarck – unter Einbezug Österreichs, an dessen Seite Baden im Preußisch-Österreichischen Krieg 1866 stand. Nach der Niederlage bei Königgrätz trat Baden dem Allianzvertrag der süddeutschen Staaten mit dem Norddeutschen Bund bei, der das Großherzogtum eng an Preußen anband. Das badische Militär kam damit unter preußische Führung und spielte eine wichtige Rolle im Deutsch-Französischen Krieg 1870/71. Nicht ohne Grund wurde das Siegesdenkmal der badischen Städte in Freiburg aufgestellt, wo in der Karlskaserne seit 1866 das 5. Badische Infanterieregiment 113 stationiert war. Bei der Enthüllung des Denkmals 1874 war nicht nur das großherzogliche Paar, sondern auch Friedrichs Schwiegervater Wilhelm I. anwesend, der am 18. Januar 1871 im Spiegelsaal von Versailles zum deutschen Kaiser proklamiert worden war.

Die liberale Politik, die unter dem konstitutionell regierenden Friedrich I. einsetzte, hatte die endgültige Gleichstellung der badischen Juden ermöglicht. 1862 erhielt der Hofgerichtsadvokat Nephtali Näf als erster Jude das Freiburger Bürgerrecht. 1849 war es ihm schon einmal verliehen, aber nach heftigen Protesten aus der Bürgerschaft wieder entzogen worden. Am 16. Januar 1864 gründete sich die „Israelitische Religionsgemeinschaft". Die rasch wachsende Gemeinde ließ schon sechs Jahre später die Synagoge im Westen der Altstadt bauen und den noch heute existierenden Friedhof an der Hugstetter (heute Elsässer) Straße anlegen.

Der Freiburger Gewerbeschullehrer und Architekt Georg Jakob Schneider hat die 1870 errichtete Synagoge entworfen. Das Bild zeigt sie vor der Erweiterung 1924/25. In der Pogromnacht 1938 wurde sie in Brand gesteckt und danach abgerissen.

Freiburg wird Großstadt – Die „Wintererzeit"

Der nach 1871 einsetzende wirtschaftliche und kulturelle Aufschwung, die „Gründerzeit", wird in Freiburg zu Recht mit
dem Namen des seit 1888 als Oberbürgermeister amtierenden
Otto Winterer verbunden, der 25 Jahre lang Oberhaupt der
Stadt war. Die Zahl der Einwohner stieg rasant an: von 41 310
Personen im Jahr 1885 auf über 83 000 Freiburger im Jahr
1911. Die moderne städtische Infrastruktur mit Kanalisation
und Rieselfeld, Strom-, Gas- und Wasserversorgung, elektri-
scher Straßenbahn, Schulen, Museen und Theater wurde
wesentlich ausgebaut oder zum großen Teil erst unter Winterer
geschaffen.

Eine vordringliche Aufgabe jener Jahre war der Woh-
nungsbau. Der Schwerpunkt der Industrie wurde aus der
Wiehre in den neuen Stadtteil Stühlinger „hinter den Bahnhof" verlegt, wo neben zahlreichen Industrieanlagen ein ausgedehntes Wohngebiet für Arbeiter und Bürger mit unteren
und mittleren Einkommen entstand. Einer der größten Betriebe im Stühlinger war die 1872 von Vöhrenbach im
Schwarzwald nach Freiburg verlegte Orgel- und Orchestrionfabrik von Michael Welte & Söhne, einer der weltweit führenden Betriebe für mechanische Musikinstrumente. Auch das
neue Gaswerk und das Elektrizitätswerk wurden im Stühlinger errichtet.

Gleichzeitig schuf man in der Neuburg, in Herdern und
in der Wiehre Villenviertel für gehobene Ansprüche. Als Neu-
bürger begehrt waren betuchte Pensionäre, für deren Ansiedlung vor allem nach den Choleraepidemien in Hamburg und
Bremen geworben wurde. Der Begriff „Pensionopolis" stammt
aus jenen Jahren. Zum wichtigen Wirtschaftsfaktor wurde nun
endgültig der Fremdenverkehr, für den zahlreiche Attraktio-
nen wie Parkanlagen und Waldfahrstraßen mit Aussichts-
punkten und Ausflugslokalen geschaffen wurden. Auch die

Das Gebiet südlich des Martinstors wurde um 1900 durchgreifend ▶
verändert. Die Aufnahme, etwa 1910 entstanden, zeigt das
aufgestockte Tor inmitten zahlreicher Bauten zwischen Historismus
und Jugendstil.

Das Quartier rund um das 1911 fertig gestellte Kollegienhaus der Universität: unten die Universitätsbibliothek, links die Rotteck-Oberrealschule (1972 abgerissen), darüber das Stadttheater und das Bertholdgymnasium (1944 zerstört). Luftaufnahme von Süden, vor 1934.

Universität darf man in diesem Zusammenhang nicht vergessen, deren Studentenzahl von wenigen 100 in den 1860er-Jahren bis auf über 3000 im Jahr 1911 stieg, als das neue Kollegienhaus eröffnet wurde. Im Sommersemester 1900 hatte die Universität Freiburg als erste Hochschule im Reich Frauen zum Studium zugelassen.

Das noch immer spätbarock und biedermeierlich geprägte Stadtbild wurde systematisch verändert. Freiburg sollte zur „schönsten modernen Stadt Deutschlands" werden. Wertvolle Bauten wie Kaufhaus und Rathaus wurden instand gesetzt und erweitert. Neubauten wie das Erzbischöfliche Ordinariat, das neue Kollegienhaus der Universität, das Stadttheater, die Gewerbeschule, die Johanneskirche oder die Herz-Jesu-Kirche kamen hinzu. Der bevorzugte Baustil der städtischen und kirchlichen Bauverwaltung war der Historismus, insbesondere Neugotik und Renaissance. Der „moderne Stil" – heute als Jugendstil bekannt – war dennoch im Stadtbild präsent und

Der Umbau des alten Kollegiums der Universität zum Neuen Rathaus 1896–1901 drückt das damalige Selbstverständnis und das historische Bewusstsein der Stadt aus. Aufnahme von Georg Röbcke, 1901.

führte immer wieder zu Diskussionen in den damals zahlreich in Freiburg erscheinenden Zeitungen. Typisch für die städtische Mittelaltersehnsucht der Wintererzeit ist die Aufstockung der beiden Stadttore, die eigentlich vor dem Bau der Straßenbahn 1901 abgebrochen werden sollten und stattdessen auf Initiative des Oberbürgermeisters zu monumentalen Turmgebilden aufgestockt wurden, getreu Winterers oft zitierter Devise „Das Dorf hat Dächer und die Stadt hat Türme". Das geschichtsbewusste Stadtoberhaupt war auch der maßgebliche Initiator des 1891 gegründeten Münsterbauvereins, der sich seither um den Erhalt von Freiburgs bedeutendstem Bauwerk kümmert.

Unter dem Vorzeichen des Ausbaus von Freiburg zur Fremden-, Kultur- und Universitätsstadt hatte die Verwaltung allerdings auf die Ansiedlung größerer Industrie verzichtet. In Zeiten wirtschaftlichen Niedergangs rächte sich dies in einer bis heute nachwirkenden Strukturschwäche, die sich bereits gegen Ende der Wintererzeit bemerkbar machte. Otto Winterer starb 1915, nur zwei Jahre nach dem Antritt des Ruhestandes. Den Zusammenbruch des Kaiserreichs, dessen Lebenswelt und bürgerliche Ideale er verkörpert hatte, musste er nicht mehr erleben.

Freiburg in der Republik Baden (1918–1945)

Mit dem Ende des Ersten Weltkriegs, in dem Freiburg als Lazarettstadt und seit 1917 Etappenhauptort mehrfach Luftangriffen ausgesetzt war, erlosch auch das Großherzogtum Baden. Großherzog Friedrich II., der seinem verstorbenen Vater 1907 nachgefolgt war, musste abdanken. Am 9. November 1918 wurde auf dem Karlsplatz die Republik ausgerufen. Im Juni 1920 wählte das Reichsparlament in Weimar den Freiburger Rechtsanwalt und Stadtrat Constantin Fehrenbach zum Reichskanzler, ein Jahr später trat er zurück und wurde von dem Freiburger Gymnasialprofessor Joseph Wirth abgelöst. Mit Wirths Namen verknüpft sind der Vertrag von Rapallo, geschlossen 1922 zwischen der Sowjetunion und Deutschland über den gegenseitigen Reparationsverzicht, und der berühmte Ausspruch „Dieser Feind steht rechts" aus seiner Reichstagsrede nach der Ermordung von Außenminister Walter Rathenau.

Das 800-jährige Stadtjubiläum im Jahr 1920 war den wirtschaftlich schlechten Verhältnissen angemessen nur in bescheidenem Rahmen gefeiert worden. Trotz der Finanzmisere der Stadt konnte nach dem Ersten Weltkrieg das neue Haus der Städtischen Sammlungen im ehemaligen Augustinereremitenkloster, das von 1823 bis 1910 als Stadttheater gedient hatte, eingerichtet und 1923 als „Augustinermuseum" eröffnet werden.

Freiburg im Nationalsozialismus

Im Jahr 1932 waren in Freiburg von knapp 100 000 Einwohnern 8000 arbeitslos. Am 30. Juli fand NSDAP-Führer Adolf Hitler beim Wahlkampf im Möslestadion nur wenig Zuhörer, aber bei den Reichstagswahlen vom 5. März 1933 erhielten die Nationalsozialisten auch in Freiburg die meisten Stimmen und

SA-Männer stehen am Tag nach der Reichstagswahl vom 5. März 1933 vor dem trotz Verbots von Oberbürgermeister Karl Bender mit der Hakenkreuzfahne beflaggten Rathaus.

hissten einen Tag später die Hakenkreuzflagge am Rathaus. Am 9. April wurden Stadtrat und Bürgerausschuss aufgelöst und im Sinne der NSDAP neu formiert. Am Folgetag erzwangen sie durch eine bis dahin beispiellose Hetzkampagne den Rücktritt des seit 1922 amtierenden Oberbürgermeisters Karl Bender und setzten den Parteigenossen Franz Kerber, der als Schriftführer des NSDAP-Organs „Der Alemanne" wesentlich zum Sturz Benders beigetragen hatte, als zunächst kommissarisches Stadtoberhaupt an seine Stelle.

Offene Gewalt und Terror hatten gleich nach der „Machtergreifung" mit der Verhaftung von Kommunisten und Sozialdemokraten begonnen. Schon zur Herbstmess' 1933 wurde Schaustellern und Händlern jüdischer Abstammung die Zulassung verweigert. In der Reichspogromnacht vom 9. auf den 10. November 1938 wurde auch in Freiburg die Synagoge in Brand gesteckt; ein Großteil der männlichen Freiburger Juden wurde inhaftiert und erst nach Monaten freigelassen. Im Oktober 1940 wurden alle transportfähigen jüdischen Bürger aus Baden und der Pfalz in das südwestfranzösische Sammellager

Gurs bei Pau am Fuß der Pyrenäen deportiert, insgesamt 6500 Menschen, 375 davon aus Freiburg. Zwei Jahre später wurden die meisten von ihnen nach Auschwitz in den Tod geschickt.

Sympathie und Widerstand

Im Untergrund entfaltete sich aktiver Widerstand gegen das verbrecherische Regime. Erzbischof Conrad Gröber, der anfangs mit dem neuen System sympathisiert hatte, war zunehmend auf Distanz gegangen und schickte die Caritas-Mitarbeiterin Gertrud Luckner mit einem „außerordentlichen Seelsorgeauftrag" kreuz und quer durch ganz Deutschland, um politisch oder rassisch Verfolgte zu retten. 1943 kam die mutige Frau selbst ins KZ Ravensbrück. Sie überlebte und baute nach dem Krieg die Verfolgtenfürsorge der Caritas auf.

Die Universität war nach 1933 gleichgeschaltet worden. Der international bekannte Philosoph Martin Heidegger diente sein Denken in der Antrittsrede zu seinem Rektorat der „Herrlichkeit" und „Größe" des „Aufbruchs" an. Jüdische Professoren und Dozenten wurden ab April 1933 zunächst zwangsbeurlaubt und bis 1935 systematisch aus dem Amt gejagt, jüdischen Akademikern erkannte man mit der Ausbürgerung auch ihre Grade ab, insgesamt 135 Wissenschaftler waren betroffen. Doch auch hier gab es mutige Regimegegner. Bei den Studenten formierte sich ein Ableger der „Weißen Rose", der Freiburger Pathologieprofessor Franz Büchner protestierte 1941 öffentlich gegen die „Tötung unwerten Lebens" und seit der Pogromnacht 1938 traf sich regelmäßig das „Freiburger Konzil", in dem sich mehrere regimekritische Gruppen zusammenfanden und dem zahlreiche renommierte Freiburger Universitätslehrer und Kirchenleute beider Konfessionen angehörten. Sie entwickelten Pläne für den Aufbau einer neuen politischen, wirtschaftlichen und gesellschaftlichen Ordnung nach Hitler. Zu ihnen zählte der Nationalökonom Walter Eucken, der bereits damals die Grundzüge der späteren „Sozialen Marktwirtschaft" formulierte.

Der Bombenkrieg

Im Mai 1940 hatten deutsche Flugzeuge irrtümlich den Stadtteil Stühlinger bombardiert. Das tragische Unglück, das fast

Über den Ruinen der zerbombten Stadt erhebt sich der unzerstörte Turm des Münsters. Aufnahme von Georg Röbcke aus dem Winter 1944/45.

60 Tote forderte, wurde zum feindlichen Terrorangriff erklärt und propagandistisch ausgenutzt. Die ersten „echten" Bombenangriffe fanden im Oktober 1943 statt. Am Abend des 27. November 1944 ging das alte Freiburg im Feuersturm eines zwanzigminütigen Bombardements alliierter Flugzeugverbände, der „Operation Tigerfish", zugrunde. Die Altstadt war zu 80 Prozent zerstört, angrenzende Stadtteile wie Stühlinger, Neuburg und Herdern waren schwer getroffen worden. Inmitten der Trümmer stand nahezu unversehrt das Münster. Fast 3000 Tote waren allein nach dieser Nacht zu beklagen, insgesamt forderten die Bombenangriffe im Zweiten Weltkrieg 6000 Todesopfer. Tausende waren aus der brennenden Stadt ins Umland geflohen. Von den vor dem Beginn des Krieges gezählten 110 000 Einwohnern waren bei Kriegsende noch knapp 58 000 Menschen übrig.

Französische Besatzung und politischer Neubeginn (1946–2000)

Vor dem Einmarsch der Franzosen am 21. April 1945 konnten beherzte Bürger sinnlose „letzte Aktionen" von Militär und Hitlerjugend verhindern. Freiburg stand nun unter französischer Militärverwaltung und gehörte zur französischen Zone. Die Besatzungsmacht setzte einen neuen Oberbürgermeister und einen Beirat ein, der die wichtigsten Verwaltungsaufgaben solange wahrnahm, bis im September 1946 die ersten Gemeinderatswahlen nach dem Krieg stattfanden.

Hauptaufgabe der Verwaltung war die Versorgung der notleidenden Bevölkerung mit Nahrungsmitteln und Wohnraum. Oberbürgermeister Wolfgang Hoffmann und seiner Verwaltung gelang dies ebenso wie die Schaffung einer neuen kulturellen Infrastruktur: Schon im Dezember 1949 konnte das

Auslandshilfe für die notleidende Bevölkerung nach dem Krieg:
Beim Waisenhaus in Günterstal werden die ersten CARE-Pakete verteilt.
Aufnahme von Karl Müller, November 1946.

fünf Jahre zuvor ausgebombte Stadttheater wieder genutzt werden. Der Oberbürgermeister als begabter Pianist spielte bis 1955 mit eigenen Konzerten Geld für den Wiederaufbau ein. Über 10 000 beschädigte Wohnungen wurden saniert und konnten wieder bezogen werden, und im April 1950 fuhren wieder alle Straßenbahnen. Hilfslieferungen der amerikanischen Quäker, die Schweizer Spende und die C.A.R.E.-Organisation hatten geholfen, die größte Not zu lindern. Der Aufbau des Kulturlebens wurde von der französischen Verwaltung sehr unterstützt. 1946 bekam Freiburg das erste Institut Français in Deutschland. Im Sommersemester 1949 waren schon wieder 3343 Studierende an der Universität immatrikuliert und 1950 war mit 109 717 Einwohnern der Vorkriegsstand wieder erreicht.

Der Aufbau des politischen Lebens in Baden hatte nach der Wiederzulassung von Parteien schon 1946 begonnen. Im November tagte im Kaufhaus die Beratende Landesversammlung zur Ausarbeitung einer Verfassung für das zukünftige Land Baden. Nach der Landtagswahl am 17. Mai 1947 wählte das Parlament den Freiburger Altphilologen Leo Wohleb zum Ministerpräsidenten. Sein Amtssitz war das Colombischlössle, das Parlament tagte im Historischen Kaufhaus am Münsterplatz. Nach der Volksabstimmung über die Bildung eines gemeinsamen Südweststaates im Jahr 1951 kam Freiburg 1952 zum Land Baden-Württemberg. In Baden war eine Mehrheit für den Erhalt des Landes und fühlte sich von den Württembergern unrechtmäßig überstimmt. Deshalb blieb der Volksentscheid umstritten und musste 1972 wiederholt werden. Im wiederaufgebauten Basler Hof wurde das Regierungspräsidium für Südbaden (heute Regierungspräsidium Freiburg) eingerichtet.

Der Wiederaufbau

Der Erhalt historischer Bauwerke und die Wiedererrichtung stadtbildprägender Einzelbauten war eines der Prinzipien des Architekten Joseph Schlippe, der als Oberbaurat seit 1925

Der Wiederaufbau der Jesuitenkirche und des ehemaligen Kollegs durch das Universitätsbauamt erfolgte zwischen 1950 und 1954. Die Aufnahme dürfte 1951 gemacht worden sein.

das Städtische Hochbauamt geleitet hatte und mit Billigung der französischen Militärregierung zum Leiter des Wiederaufbaubüros bestimmt worden war. Er griff auf schon zuvor entwickelte städtebauliche Ideen zurück, die er nun umsetzte – dazu gehören die Arkaden an der Kaiser-Joseph-Straße, die er bereits in den 30er-Jahren vorgeschlagen hatte.

Schlippes Ideal war die Bürgerstadt des Spätmittelalters und der Barockzeit. Er war ebenso ein Gegner von Historismus und Jugendstil wie der „Neutöner" des Bauhauses. Wohn- und Geschäftshäuser in moderaten Dimensionen, die „Lochfassade" mit Einzelfenstern und die zur Straße geneigten Dächer mit ausgebildeter Traufzone wurden zu prägenden Elementen der Innenstadt.

Die moderne Architektur vertrat in Freiburg die staatliche Bauverwaltung, allen voran das Universitätsbauamt. Wichtige moderne Bauten und Projekte der Wiederaufbauphase sind der Innenausbau der Alten Universität, die Instandsetzung des Kollegiengebäudes I und der Universitätsbibliothek (heute KG IV), das neue Kollegiengebäude II, zahlreiche Bauten im

Institutsviertel, die „Panzerkreuzer" genannte französische Kommandatur am Fahnenbergplatz oder die neue evangelische Ludwigskirche an der Stadtstraße.

Die Expansion nach Westen

Zu Beginn der 1960er-Jahre hatte Freiburg über 140 000 Einwohner erreicht und expandierte nach Westen, wo in den damals geplanten Neubaugebieten Bischofslinde, Weingarten-Binzengrün und Landwasser heute ein Großteil der Freiburger Bevölkerung lebt. Einen enormen Gebietszuwachs brachte der Stadt die 1974 abgeschlossene Gemeindereform. Die Gemarkungsfläche verdoppelte sich von knapp 8000 ha auf über 15 000 ha, darunter fast 700 ha Weinberge. Im Osten kamen die Dörfer Kappel und Ebnet, im Westen die Tuniberggemeinden Tiengen, Munzingen, Opfingen und Waltershofen sowie Hochdorf in der March hinzu.

Diese unter Oberbürgermeister Eugen Keidel eingeleitete Stadtbaupolitik setzte sein Nachfolger, der 1982 gewählte Rolf Böhme fort. Weniger Kopf der Verwaltung als aktiver Macher und politischer Gestalter verdankt ihm die Stadt wesentliche Impulse, die noch weit ins 21. Jahrhundert nachwirken. Gleich zu Beginn seiner Amtszeit gelang die Befriedung der alternativen Szene, die nach der gewaltsam beendeten Besetzung des „Dreisamecks" im Sommer 1980 und der Räumung des besetzten „Schwarzwaldhofs" ein beständiges Konfliktpotenzial gebildet hatte.

Nach fast 50 Jahren Präsenz zog 1993 die französische Garnison aus Freiburg ab – aus Besatzern waren längst Partner und Freunde geworden. Die Weltoffenheit Freiburgs zeigt sich auch in den offiziellen internationalen Kontakten, die Freiburg seit 1959 pflegt: Aus den zunächst drei Partnerstädten – Besançon in der Franche-Comté, Innsbruck in Tirol und Padua im Veneto – sind inzwischen neun geworden: Auf Guildford in der englischen Grafschaft Surrey folgten Madison in Wisconsin/USA, Matsuyama auf der japanischen Insel Shikoku, Lemberg in der Ukraine, Granada in Andalusien und zuletzt Isfahan, die einzige iranische Partnerstadt einer deutschen Kommune.

Freiburg „Hochburg der Grünen"

1992 wurde Freiburg von der Deutschen Umwelthilfe zur „Bundeshauptstadt für Natur- und Umweltschutz" ernannt. Damit erkannte man die Leistungen Freiburgs in den Vorjahren an: die Einführung der „Umweltkarte" für den öffentlichen Personennahverkehr, die vorbildliche Mülltrennung – lange vor dem „dualen System" – und die Förderung alternativer Energien. Der Kampf gegen das bei Whyl am Kaiserstuhl geplante Kernkraftwerk, das Bauern, Stadtbürger und Studenten gemeinsam verhindert hatten, machte Freiburg zum Geburtsort der deutschen Ökologiebewegung. Seit 1980 gehören die Grünen dem bis dahin stets vom bürgerlichen Lager geprägten Gemeinderat an, inzwischen bilden sie die stärkste Fraktion. Im Jahr 2002 wählten die Bürger mit Dieter Salomon den ersten grünen Oberbürgermeister in einer deutschen Großstadt. Durchaus symbolhaft für seine ersten Amtsjahre dürfen die Windräder am Schauinsland und am Rosskopf stehen, deren Aufstellung das Stadtoberhaupt gegen den anhaltenden Widerstand der schwarzen Landesregierung durchsetzte.

Am Beginn des 21. Jahrhunderts

Freiburg wächst nach wie vor: Neue Stadtteile sind auf dem Vauban-Gelände, einer ehemaligen Wehrmachtskaserne, die 1945 von den Franzosen übernommen wurde, und im Rieselfeld entstanden. Neue städtebauliche Perspektiven ergaben sich nach der Verlegung des Messplatzes im Osten der Stadt. Im Werden ist die Erweiterung des klassischen Altstadtbereichs bis zur neuen Bahnhofsachse über einen verkehrsberuhigten Werder-/Rotteckring, für den sich die Stadtplaner eine Folge von Plätzen vorstellen. Damit soll auch ein Campus für die Universität geschaffen werden, die nach wie vor ihr Zentrum in der Altstadt und den unmittelbar benachbarten

Auf dem Gelände, wo die Stadt zwischen 1892 und 1986 ihre Abwässer verrieselte, entstand ab 1993 ein neuer Stadtteil. Die Luftaufnahme aus dem Jahr 1998 zeigt die ersten der vier Bauabschnitte, die bis 2010 fertig gestellt sein sollen. Dann werden etwa 10- bis 12 000 Menschen im Rieselfeld wohnen.

Auf dem bis 1992 vom französischen Militär genutzten südwestlichen Teil des Freiburger Flugplatzes errichtete die Universität zwischen 1994 und 2001 Neubauten für ihre neue technische Fakultät. Rechts ein Teil der Skulptur „Jump and twist" von Dennis Oppenheim am Lehrgebäude der Mikrosystemtechnik (1999).

Quartieren hat. Vor wenigen Jahren wurde eine neue Fakultät am Flugplatz eingerichtet, mit der die Hochschule erstmals um einen technischen Bereich erweitert wurde. Forschung und Lehre bewegen sich auf höchstem nationalen und internationalem Niveau und in den aktuellen Hochschulrankings belegt die bald 550-jährige Albert-Ludwigs-Universität stets die vordersten Plätze. Neben der Universität mit über 22 000 Studierenden besitzt Freiburg eine Pädagogische Hochschule, zwei Fachhochschulen für soziale Arbeit und Sozialwesen sowie eine renommierte Musikhochschule mit zusammen über 7300 Studierenden.

Auch im Bereich des Sports hat die Stadt einen guten Ruf, nicht erst seit dem Aufstieg der Fußballer des Sportclubs Freiburg in die Bundesliga. Schon 1907 war der einstige Konkurrent Freiburger FC deutscher Meister. Der ADAC-Bergrekord am Schauinsland – 1986 aus Umweltschutzgründen eingestellt – zählte seit 1925 zu den berühmtesten Rennen der Automobilwelt. Die „Freiburger Turnerschaft von 1844" ist Baden-Württembergs größter Sportverein. Der 1895 gegründete Ski-Club Freiburg gehört zu den ältesten Deutschlands. Erfolgreichste Freiburger Sportlerin aller Zeiten war die Olympiasiegerin 1936 im Abfahrtslauf und 15-fache Weltmeisterin Christl Cranz. Zu teils mehrfachen Weltmeisterehren kamen unter anderem der Ringer Adolf Seger, die Rollkunstläufer Michael Obrecht und Fréderique Florentin und das Turniertanzpaar Hans-Reinhard Galke und Bianca Schreiber. Freiburg ist Olympiastützpunkt und war schon mehrfach Etappenort der Tour de France.

Mit dem im Vorfeld heiß diskutierten, 1996 fertig gestellten Bau des Konzerthauses am Bahnhof wurde die Ressource des Kongress- und Tagungstourismus neu gestärkt. Auch die Neue Messe im Westen wird 2006 um eine weitere Halle wachsen, damit der Standort Freiburg gegenüber zahlreichen potenten Mitbewerbern konkurrenzfähig bleibt. Noch immer hat die Dienstleistungs- und Fremdenverkehrsstadt Freiburg weniger Hotelbetten als vor dem Krieg. Die schon im späten 19. Jahrhundert angelegte Strukturschwäche wird zunehmend verstärkt durch die allgemeine Rezession und die Finanzkrise der Städte – rückläufige Einnahmen bei gleichzeitig wachsenden Ausgaben vor allem im Sozialbereich – macht sich mit zunehmender Dramatik in vielen Bereichen bemerkbar, nicht zuletzt in der Kultur, wo Etablierte und Alternative empfindliche Einschnitte hinnehmen müssen.

Der Erhaltung einer zur Lebensqualität gehörigen dynamischen und unverwechselbaren Geschäftswelt in der Altstadt stehen die stetig steigenden Miet- und Energiekosten für die Räumlichkeiten und die Käuferorientierung zu den Verkaufsflächen „auf der Grünen Wiese" entgegen. Gerade in den letzten Jahren mussten zahlreiche alteingesessene Freiburger Firmen ihre Geschäfte aufgeben und Ketten Platz machen. Auch vor der gern beschworenen Idylle mit „Bächle, Gässle

Das Konzerthaus des Berliner Architekten Dietrich Bangert wurde 1996 eröffnet und ist ein zentraler Bestandteil der neuen „Bahnhofsachse" am westlichen Rand der Altstadt.

und Münster" macht die allgemein zu beobachtende Entwicklung der Innenstädte zur Uniformität nicht halt.

Dennoch: Im Rahmen einer zunehmend zusammenwachsenden europäischen Region am Oberrhein behauptet Freiburg seine Stellung als Oberzentrum. Als eine der wenigen deutschen Großstädte verzeichnet Freiburg jedes Jahr einen Bevölkerungszuwachs und hat inzwischen 214 716 Einwohner (Stand Juni 2005). Es gilt nicht ohne Grund als Ort von besonderer Lebensqualität und hohem Freizeitwert, in dem 90 Prozent der Bürger laut einer 2005 veröffentlichten repräsentativen Umfrage gerne leben. Noch immer gilt, was Sebastian Münster 1550 in seiner „Cosmographey" geschrieben hat: *Der Brißgow ist ein guts kleins Land / hat alle notturft* – Der Breisgau ist ein gutes kleines Land, hat alles was man braucht.

Zeittafel

1008	Erste Nennung der heutigen Stadtteile Herdern, Uffhausen, Wiehre und Zähringen.

Die Zähringer 1091–1218

1091	Frühestes überliefertes Gründungsdatum der Stadt Freiburg.
1120	Marktgründung durch Konrad von Zähringen.
1146	Bernhard von Clairvaux in Freiburg. Das Münster wird erstmals erwähnt.

Die Grafen von Freiburg 1218–1368

1218	Tod des letzten Zähringerherzogs Berthold V.
1234	Gründung des Dominikanerinnenklosters Adelhausen.
1236	Gründung des Freiburger Dominikanerklosters.
1238	Erste Nennung der „Bächle".
1246	Die Franziskaner lassen sich in der Stadt nieder.
1278	Niederlassung der Augustinereremiten.
1291	Erste Erwähnung eines Bürgermeisters.
1303	Erste Erwähnung eines Rathauses (die heutige Gerichtslaube).
1318	Älteste Statuten des Heiliggeistspitals.
1334	Erste Nennung des städtischen Schulhauses in der Herrenstraße.
1347	Stiftung der Kartause Johannisberg durch Johann Snewelin „der Gresser".
1348	Eine Pestepidemie löst ein Pogrom gegen die Freiburger Juden aus.
1354	Angebliche Erfindung des Schießpulvers durch den Franziskanermönch Bertold Schwarz. – Grundsteinlegung zum neuen Chor des Freiburger Münsters.
1366	Im Konflikt mit Graf Egino III. zerstören die Bürger das Schloss.
1368	Freiburg löst sich aus der Herrschaft der Grafen und begibt sich unter den Schutz des Hauses Habsburg.

Freiburg unter der Herrschaft Habsburgs 1368–1798

1378	Erste Nennung des Kaufhauses als Zentrum des städtischen Handels.

1379	Stiftung der noch bestehenden Jahrmärkte durch König Wenzel. Verlegung der Termine durch König Ruprecht III. 1403 und Kaiser Friedrich III. 1465.
1381	Freiburg erwirbt das Dorf Betzenhausen.
1386	Bei Sempach fallen Herzog Leopold III. und zahlreiche Freiburger Adelige und Patrizier.
1390	Volkszählung: Freiburg hat 8855 Einwohner.
1404	Freiburg tritt dem „Rappenmünzbund" bei.
1415	Herzog Friedrich IV. von Österreich „mit der leeren Tasche" in der Reichsacht. Freiburg ist bis 1427 Reichsstadt.
1424	„Ewige" Vertreibung der Juden aus der Stadt.
1454	Erzherzog Albrecht VI. gibt das „Große Fest zu Freiburg" für Herzog Philipp den Guten von Burgund.
1457	Erzherzog Albrecht VI. stiftet die Freiburger Universität.
1460	Eröffnung der Universität im Münster.
1471	Weiterbau des neuen Münsterchors nach 100-jähriger Bauunterbrechung.
1473	Kaiser Friedrich III. besucht mit seinem Sohn Maximilian die Stadt.
1491	Freiburg erwirbt bis 1496 Dorf und Wasserschloss von Kirchzarten.
1496	Erste Erwähnung eines „fasnachtspils" in Freiburg.
1497	Reichstag König Maximilians in Freiburg bis September 1498 in Anwesenheit des Monarchen (ab Juli 1498).
1513	4./5. 12.: Weihe des Münsterchors.
1520	Druck des neuen Freiburger Stadtrechts.
1525	Verbrennung reformatorischer Schriften auf dem Münsterplatz. – Aufständische Bauern besetzen Freiburg.
1529	Reformation in Basel. Freiburg wird Zuflucht zahlreicher Katholiken, darunter das Basler Domkapitel und Erasmus von Rotterdam.
1546	Erstes Opfer des Hexenwahns.
1562	Besuch Kaiser Ferdinands I. in Freiburg.
1564	Erste von mehreren Pestwellen mit 2000 Opfern.
1620	Die Jesuiten lassen sich in Freiburg nieder.
1631	Letzte Hexenprozesse mit Todesurteilen.
1632	29. 12.: Schwedische Truppen nehmen Freiburg ein.
1633	20. 10.: Kaiserliche Truppen vertreiben die Schweden.
1634	9. 4.: Einnahme Freiburgs durch Verbündete der Schweden.
1638	11. 4.: Herzog Bernhard von Sachsen-Weimar belagert die Stadt und erobert sie für Frankreich.
1644	29. 7.: Die bayerische Reichsarmada unter Generalfeldmarschall Franz von Mercy erobert die Stadt zurück. – 3.–5. 8.: Schlacht am Schlierberg zwischen der Reichsarmada und zwei französischen Armeen unter Turenne und Enghien.

1648	Westfälischer Friede: Das Elsass wird französisch. Freiburg ist Grenzstadt.
1651	Die Regierung der Vorlande wird von Ensisheim nach Freiburg verlegt.
1657	Stiftung der Lorettokapelle.
1677	16. 11.: Freiburg wird von Frankreich belagert und besetzt. Die Regierung flieht nach Waldshut, die Universität nach Konstanz.
1679	Frieden von Nijmegen. Freiburg bleibt französisch. Bau der Festungsanlage durch Vauban.
1681	König Ludwig XIV. besucht die Stadt.
1682	Ludwig XIV. stiftet das zweisprachige „Studium Gallicum".
1696	Die Ursulinen gründen ihre Freiburger Niederlassung.
1697	Frieden von Rijswijk: Freiburg kehrt zu Österreich zurück.
1699	Einweihung von Kloster Neu-Adelhausen.
1713	Im Spätherbst wird Freiburg von Frankreich belagert und eingenommen.
1715	Die Franzosen ziehen aus Freiburg ab.
1744	Dritte Belagerung Freiburgs und Einnahme im November. Vor dem Abzug Ende April 1745 wird die Festung von den Franzosen systematisch geschleift.
1752	Verwaltungsreform unter Maria Theresia.
1768	Einführung der Hausnummerierung.
1770	4.–6. 5.: Die französische Kronprinzessin Marie Antoinette besucht Freiburg auf ihrer Brautfahrt.
1773	Einrichtung der Normalschule. Auf den ersten Direktor Franz Joseph Boob soll der Spitzname der Freiburger „Bobbele" zurückgehen.
1774	Die Universität erhält das Kolleg der 1773 aufgehobenen Jesuiten.
1777	Kaiser Joseph II. besucht Freiburg. Die „Große Gass" erhält den Namen „Kaiserstraße".
1782	Aufhebung der Kartaus.
1784	Erste Ausgabe der „Freiburger Zeitung". – Johann Georg Jacobi wird als erster Protestant an die Universität berufen. – Gründung der Freiburger Freimaurerloge „Zur Edlen Aussicht".
1785	Die Franziskanerklosterkirche Sankt Martin wird zur zweiten Pfarrkirche der Stadt.
1790	Gründung der „Bürgerlichen Beurbarungsgesellschaft".
1794	Gründung des „Freiwilligen Bürger-Ehrencorps".
1796	Besetzung Freiburgs durch französische Revolutionstruppen und Befreiung durch Erzherzog Karl von Österreich. In den Folgejahren wiederholte Besetzungen durch Frankreich.
1798	Im Frieden von Campo Formio wird Freiburg Ercole III. d'Este, dem Herzog von Modena zugesprochen.

Freiburg unter modenesischer Herrschaft 1803–1805

1803 Ercole III. übernimmt die Herrschaft über Freiburg. Sein Schwiegersohn Erzherzog Ferdinand von Österreich regiert als Landesadministrator, später als Landesherr.

1805 Im Pressburger Frieden kommt Freiburg zu Baden.

Freiburg im Großherzogtum Baden 1806–1918

1806 15. 4.: Übergabe Freiburgs an den Vertreter des Kurfürsten im Münster.

1807 Gründung der evangelischen Stadtpfarrei. – Gründung der Bürgerlichen Lesegesellschaft „Museum".

1809 Einrichtung der „Judenwirtschaft" in der Grünwälderstraße. Erstmals seit 1424 ist Juden der Aufenthalt in Freiburg wieder erlaubt.

1813 Befreiungskriege: Freiburg ist Durchmarschgebiet für die Alliierten. Zur Jahreswende 1813/14 weilen mehrere Monarchen und Staatsmänner der Allianz gegen Napoleon in Freiburg.

1819 Papst Pius VII. bestimmt Freiburg zum Sitz eines Erzbischofs als Metropolit der neuen oberrheinischen Kirchenprovinz.

1820 Großherzog Ludwig sichert endgültig den Bestand der Hochschule, die den Namen „Albert-Ludwigs-Universität" annimmt.

1823 Eröffnung des Stadttheaters in der ehemaligen Augustinereremitenkirche.

1826 Gründung der Freiburger Sparkasse.

1827 Inthronisation des ersten Freiburger Erzbischofs im Münster. – Gründung des Kunstvereins. – Freiburg hat 14 317 Einwohner.

1844 Erster Carnevalsumzug in Freiburg. – Gründung der „Freiburger Turnerschaft".

1845 Eröffnung der Bahnlinie Offenburg-Freiburg und Einweihung des Bahnhofs.

1848 26. 3.: Volksversammlung mit 20 000 Teilnehmern auf dem Münsterplatz. Gefordert werden das Offenburger Programm und die Republik. – Ostern: Barrikadenkämpfe, Einmarsch von Bundestruppen und Verhaftungswellen in der Badischen Revolution.

1849 Die zweite Revolutionswelle wird durch preußische Truppen niedergeschlagen. Bis 1852 gilt Kriegsrecht.

1850 Eröffnung des ersten Gaswerks.

1862 Hofgerichtsadvokat Nephtali Näf erhält als erster Jude das Freiburger Bürgerrecht.

1864 Gründung der „Israelitischen Religionsgemeinde".

1866	Verlegung des 5. Badischen Infanterieregiments nach Freiburg. – Einführung der straßenweisen Hausnummerierung.
1870	Bau der Synagoge.
1871	Freiburg hat 24 603 Einwohner.
1876	Zur Enthüllung des Siegesdenkmals kommt Kaiser Wilhelm I. nach Freiburg.
1885	Freiburg hat 41 310 Einwohner. An der Universität sind 1000 Studenten immatrikuliert.
1888	Gründung des „Carnevalsvereins". – Mit der Wahl von Otto Winterer zum OB beginnt die „Wintererzeit".
1891	Mit der Pferdebahn beginn der Aufbau des öffentlichen Personennahverkehrs.
1892	Inbetriebnahme des Rieselfelds.
1896	Ein verheerendes Hochwasser reißt mehrere Dreisambrücken ein.
1899	Freiburg hat 61 504 Einwohner.
1900	Zum Sommersemester lässt Freiburg als erste deutsche Universität Frauen offiziell zum Studium zu.
1901	Eröffnung des Elektrizitätswerks und der elektrischen Straßenbahn.
1910	Eröffnung des neuen Stadttheaters. – Freiburg hat 83 324 Einwohner.
1911	Einweihung des neuen Kollegienhauses der Universität.
1914	4. 12.: Erste Bombenabwürfe im I. Weltkrieg.
1918	9. 11.: Ausrufung der Republik auf dem Karlsplatz.

Freiburg in der Republik Baden 1918–1945

1923	Eröffnung des Augustinermuseums.
1930	Einweihung der Seilschwebebahn auf den Schauinsland.
1933	Eine Pressekampagne der Nationalsozialisten zwingt OB Karl Bender zum Rücktritt. Nachfolger wird der Parteigenosse Franz Kerber. – Auflösung des Stadtrats und erste Maßnahmen gegen jüdische Geschäftsleute.
1934	Gründung der „Breisgauer Narrenzunft" und Einführung der alemannischen Volksfastnacht.
1938	Zerstörung der Synagoge und Ausschreitungen gegen jüdische Geschäfte in der „Reichskristallnacht".
1939	Freiburg hat 108 487 Einwohner.
1940	10. 5.: Irrtümliche Bombardierung des Stühlinger durch deutsche Flugzeuge. Das Unglück mit 57 Toten wird von der Propaganda zum Feindangriff erklärt. 22. 10.: Deportation aller transportfähigen Juden aus Baden und der Pfalz in das Lager Gurs und weitere Lager in Südfrankreich. Überlebende werden 1942/43 in die Vernichtungslager im Osten gebracht.

1944	27. 11.: Großangriff britischer Bombergeschwader auf Freiburg. 20 000 Bomben zerstören die Altstadt zu 80 Prozent. 2800 Todesopfer und 9600 Verletzte. 6000 zerstörte, 3500 schwer und 11 500 leicht beschädigte Wohnungen.
1945	21. 4.: Einmarsch französischer Truppen in Freiburg. Um 22.00 Uhr ist die Stadt besetzt.

Freiburg unter französischer Militärverwaltung 1945–1946

1945	Freiburg hat noch 57 974 Einwohner. – Unter französischer Verwaltung langsamer Neubeginn des öffentlichen, kulturellen und politischen Lebens. – Zum Wintersemester nimmt die Universität den Vorlesungsbetrieb wieder auf. – Am 5. 9. erscheint die erste Tageszeitung nach dem Krieg.
1946	Erste Gemeinderatswahlen. Im Kaufhaus tagt die Beratende Landesversammlung, die eine Verfassung für Baden beschließt.

Freiburg als Hauptstadt des Landes Baden 1946–1952

1947	Erste Landtagswahlen in Baden. Leo Wohleb wird Staatspräsident.
1948	Die schwierige Versorgungslage im Winter 1947/48 führt zu akuter Hungersnot.
1949	Wiedereröffnung des 1944 zerstörten Stadttheaters.
1950	Mit 109 717 Einwohnern ist der Vorkriegsstand wieder erreicht. – Volksabstimmung über den Südweststaat. Baden ist mehrheitlich dagegen, wird aber von den anderen Landesteilen überstimmt.

Freiburg im Land Baden-Württemberg seit 1952

1959	Besançon wird erste Partnerstadt Freiburgs.
1963	Freiburg hat 150 000 Einwohner.
1969	Die Fertigstellung des Straßenrings um die Altstadt ermöglicht die Einrichtung der Fußgängerzone ab 1973.
1971	Beginn der Gemeindereform in Baden. Bis 1974 wächst Freiburgs Gemarkungsfläche um das Doppelte. Erster neuer Stadtteil wird die Gemeinde Lehen.
1980	Höhepunkt des Konflikts zwischen Hausbesetzerszene und Polizei. Die Krawalle dauern bis 1982.
1987	Einweihung der neuen Synagoge.
1988	Erster Bürgerentscheid in Freiburg über die umstrittene Kultur- und Tagungsstätte (Konzerthaus).
1992	Die letzten Teile der französischen Truppen verlassen Freiburg. Das französische Konsulat wird geschlossen.

1993	Der Fußball-Bundesligist Sportclub Freiburg steigt erstmals in die 1. Liga auf. – 7. 12.: Erster Spatenstich für den neuen Stadtteil Rieselfeld.
1996	Eröffnung des Konzerthauses am Bahnhof.
1998	3. 4.: Erster Spatenstich für den neuen Stadtteil „Vauban".
1999	Die Frühjahrsmess' ist die letzte auf dem alten Messplatz. Die Herbstmess' findet bereits auf dem neuen Gelände beim Flugplatz statt. – 2. 7.: Einweihung des neuen Hauptbahnhofs.
2000	Freiburg hat zur Jahrtausendwende 202 455 Einwohner. – Freiburg schließt eine Städtepartnerschaft mit Isfahan im Iran.
2001	Deutsch-Französischer Gipfel in Freiburg.
2002	Mit Dieter Salomon wird der erste Grüne Oberbürgermeister einer deutschen Großstadt. Sein Vorgänger Rolf Böhme wird zum Ehrenbürger ernannt.
2005	Freiburg hat 214 716 Einwohner.

Herrscher über Freiburg

1091–1218 Herzöge von Zähringen

1078–1111	Bertold II.
1111–1122	Bertold III.
1122–1152	Konrad
1152–1186	Bertold IV.
1186–1218	Bertold V.

1218–1368 Grafen von Freiburg (Haus Urach)

1218–1236	Egino I.
1236–1271	Konrad I.
1272–1316	Egino II. (auch: Egen I.)
1316–1350	Konrad II.
1350–1356	Friedrich
1356–1358	Gräfin Klara von Tübingen
1358–1368	Egino III. (auch: Egen II.)

1368–1803 Österreich (Haus Habsburg)

1368–1379	Herzog Albrecht III. und Herzog Leopold III.
1379–1386	Herzog Leopold III.
1386–1411	Herzog Leopold IV.
1411–1415 und 1427–1439	Herzog Friedrich IV. „mit der leeren Tasche"

(1415–1427 Freiburg ist Reichsstadt)

1439–1458	Herzog Albrecht VI. (Erzherzog ab 1453) als Vormund für Herzog Sigmund von Tirol
1458–1461	Herzog Sigmund „der Münzreiche" von Tirol
1461–1463	Erzherzog Abrecht VI. von Österreich
1463–1490	Herzog Sigmund von Tirol (Erzherzog ab 1477)
1490–1519	König Maximilian I. (Kaiser ab 1508)
1519–1522	Kaiser Karl V.
1522–1564	Erzherzog Ferdinand I. (König ab 1540, Kaiser ab 1556)
1564–1595	Erzherzog Ferdinand II.
1595–1612	Kaiser Rudolf II.
1612–1618	Erzherzog Maximilian
1618–1619	Kaiser Matthias
1619–1626	Kaiser Ferdinand II.
1626–1632	Erzherzog Leopold V.
1632–1646	Erzherzogin Claudia Felicitas von Medici als Regentin für Erzherzog Ferdinand Karl
1646–1662	Erzherzog Ferdinand Karl
1662–1665	Erzherzog Sigismund Franz
1665–1677	Kaiser Leopold I.
1677–1697	König Ludwig XIV. von Frankreich
1697–1705	Kaiser Leopold I.
1705–1711	Kaiser Joseph I.
1711–1740	Kaiser Karl VI.
1740–1780	Königin Maria Theresia als Erzherzogin
1780–1790	Kaiser Joseph II. (seit 1765 als Mitregent seiner Mutter)
1791–1792	Kaiser Leopold II.
1792–1798	Kaiser Franz II.
1798–1803	*Freiburg ohne Landesherrschaft unter österreichischer Verwaltung*

1803–1805 Herzogtum Modena

	Ercole III. d'Este bzw. Erzherzog Ferdinand von Österreich
1803	als Landesadministrator
1803–1805	als Regierender Herzog von Modena

1806–1918 Großherzöge von Baden

1801–1811	Karl Friedrich
1811–1818	Karl
1818–1830	Ludwig
1830–1852	Leopold
1852–1856	Friedrich I. als Prinzregent
1856–1907	als Großherzog
1907–1918	Friedrich II.

Bürgermeister und Oberbürgermeister ab 1783

1783–1806	Dominik Eiter
1806–1824 (ab 1807 OB)	Johann Joseph Adrians
1825–1827	Fidel Andre
1828–1832	Raimund Bannwarth
1833–1839	Joseph von Rotteck
1839–1848	Friedrich Wagner
1848–1849	Joseph von Rotteck
Juli 1849	Alexander Buisson
1849–1852	Johann Baptist Rieder
1852–1859	Friedrich Wagner
1859–1871	Eduard Fauler
1871–1888	Carl Schuster
1888–1913	Otto Winterer
1913–1922	Emil Thoma
1922–1933	Karl Bender
1933–1945	Franz Kerber
1945	Max Keller
1945–1956	Wolfgang Hoffmann
1956–1962	Joseph Brandel
1962–1982	Eugen Keidel
1982–2002	Rolf Böhme
seit 2002	Dieter Salomon

Erzbischöfe von Freiburg

1827–1836	Bernhard Boll
1836–1842	Ignaz Demeter
1843–1868	Hermann von Vicari
1868–1881	Lothar von Kübel Bistumsverweser
1882–1886	Johann Baptist Orbin
1886–1896	Johannes Christian Roos
1898	Georg Ignaz Komp
1898–1920	Thomas Nörber
1920–1931	Karl Fritz
1932–1948	Konrad Gröber
1948–1954	Wendelin Rauch
1954–1958	Eugen Seiterich
1958–1977	Hermann Schäufele
1977–2002	Oskar Saier
seit 2003	Robert Zollitsch

Literatur

Zur Geschichte, Architektur und Kunst Freiburgs steht eine Fülle von populärer und wissenschaftlicher Literatur zur Verfügung. Grundlegend ist:

Haumann, Heiko / Schadek, Hans (Hrsg.): Geschichte der Stadt Freiburg im Breisgau. Band 1: Von den Anfängen bis zum „Neuen Stadtrecht" von 1520, Stuttgart 1996; Band 2: Vom Bauernkrieg bis zum Ende der habsburgischen Herrschaft, Stuttgart 1994; Band 3: Von der badischen Herrschaft bis zur Gegenwart, Stuttgart 1992 (erweiterte Neuausgabe 2000)

Daneben existiert eine Fülle von Einzeluntersuchungen, Ausstellungskatalogen und Aufsatzbänden, von denen nur eine Auswahl – naturgemäß subjektiv und ohne Anspruch auf Vollständigkeit – in das Literaturverzeichnis aufgenommen werden konnte.

Adam, Ernst: Das Freiburger Münster, Stuttgart 1968
Albert, Peter Paul/Wingenroth, Max: Freiburger Bürgerhäuser aus vier Jahrhunderten, Augsburg 1923 (Nachdruck Freiburg 1976)
Albert, Peter Paul: Freiburg im Urteil der Jahrhunderte, Freiburg 1924
Ausstellungskataloge:
   „Die Zähringer" (Ausstellung im Augustinermuseum Freiburg 31. Mai bis 31. August 1986): Band I: *Schmid, Karl* (Hrsg.): Die Zähringer. Eine Tradition und ihre Erforschung, Sigmaringen 1986; Band II: *Schadek, Hans / Schmid, Karl* (Hrsg.): Die Zähringer. Anstoß und Wirkung, Sigmaringen 1986; Band III: *Schmid, Karl* (Hrsg.): Die Zähringer. Schweizer Vorträge und neue Forschungen, Sigmaringen 1990
   „Freiburg 1944–1994. Zerstörung und Wiederaufbau" (Ausstellung von Stadtarchiv und Augustinermuseum im Marienbad Freiburg 26. November 1994 bis 15. Januar 1995), Waldkirch 1994
   „Der Kaiser in seiner Stadt. Maximilian I. und der Reichstag zu Freiburg" (Ausstellung des Stadtarchivs Freiburg in Zusammenarbeit mit dem Breisgau-Geschichtsverein im Augustinermuseum Freiburg 17. Mai bis 31. Juli 1998), Freiburg 1998
Bader, Joseph: Geschichte der Stadt Freiburg im Breisgau, 2 Bde., Freiburg 1882/83
Baeriswyl, Armand: Stadt, Vorstadt und Stadterweiterung im Mittelalter. Archäologische und historische Studien zum Wachstum der drei Zähringerstädte Burgdorf, Bern und Freiburg im Breisgau, Basel 2003 (= Schweizer Beiträge zur Kulturgeschichte und Archäologie des Mittelalters Band 30)

Biegel, Gerd: Erlebte Geschichte. Streifzüge durch die Ur- und Früh-geschichte am Ober- und Hochrhein, Freiburg 1985

Butz, Eva-Maria: Adlige Herrschaft im Spannungsfeld von Reich und Region. Band 1: Die Grafen von Freiburg im 13. Jahrhundert; Band 2: Quellendokumentation zur Geschichte der Grafen von Freiburg 1200–1368, Freiburg 2002 (= Vö. aus dem Archiv der Stadt Freiburg im Breisgau 34)

Clausing, Kathrin: Leben auf Abruf. Zur Geschichte der Freiburger Juden im Nationalsozialismus, Freiburg 2005 (= Vö. aus dem Archiv der Stadt Freiburg im Breisgau 37)

Diel, Josef: Die Tiefkeller im Bereich Oberlinden. Zeugnisse der bau-lichen Entwicklung Freiburg im 12. und 13. Jahrhundert, Freiburg 1981 (= Stadt und Geschichte. Neue Reihe des Stadtarchivs Frei-burg i. Br. Heft 2)

Dreier, Rudolf-Werner: Albert-Ludwigs-Universität Freiburg im Breis-gau, Freiburg 1991

Flum, Thomas: Der spätgotische Chor des Freiburger Münsters. Bau-geschichte und Baugestalt, Berlin 2001 (= Neue Forschungen zur Deutschen Kunst V)

Freiburg im Breisgau. Die Stadt und ihre Bauten, hg. vom Badischen Architecten- und Ingenieur-Verein, Freiburg 1898

Hartmann, Andreas: Freiburg 1900. Zum städtischen Selbstbewußt-sein der Jahrhundertwende, Waldkirch 1985

Heidcke, Birgit / Rössler, Christina: Margarethas Töchter. Eine Stadt-geschichte der Frauen von 1800 bis 1950 am Beispiel Freiburgs, Freiburg 1995

Kalchthaler, Peter: Freiburg und seine Bauten. Ein kunst-historischer Stadtrundgang. Mit einem Beitrag von Paul Bert, 3. Aufl. Freiburg 1994. – *Ders.:* Freiburger Wege – Straßennamen mit Geschichte. Band I., Freiburg 1998; Band II., Freiburg 1999. – *Ders.:* Kleine Geschichte der Stadt Freiburg. Eine kommentierte Chronik, Frei-burg 2004

Kalchthaler, Peter / Preker, Walter (Hrsg.): Freiburger Biographien, Freiburg 2002

Krummer-Schroth, Ingeborg: Kunst in Freiburg, 2. Aufl. Freiburg 1969 (1. Auflage 1961). – *Dies.:* Bilder aus der Geschichte Freiburgs, Freiburg 1970

Maurer, Bernhard (Hrsg.): Freiburger Kirchenbuch, Freiburg 1995

Mittmann, Heike: Das Münster zu Freiburg im Breisgau, Lindenberg 2000

Müller, Wolfgang (Hrsg.): Freiburg im Mittelalter. Vorträge zum Stadt-jubiläum 1970, Bühl/Baden 1970 (= Vö. des Alemannischen Insti-tuts Nr. 29). – *Ders. (Hrsg.):* Freiburg in der Neuzeit, Bühl/Baden 1972 (= Vö. des Alemannischen Instituts 31)

Neisen, Robert: Und wir leben immer noch! Eine Chronik der Frei-burger Nachkriegszeit, Freiburg 2004

Poinsignon, Albert / Flamm, Hermann: Geschichtliche Ortsbeschreibung der Stadt Freiburg im Breisgau. I. Band: Die Bauperioden; die Gemarkung; die Wasserversorgung; die Friedhöfe; die Straßen und Plätze, Freiburg 1891 (= Vö. aus dem Archiv der Stadt Freiburg im Breisgau II. Teil); II. Band: Häuserstand 1400–1806, Freiburg 1903 (= Vö. aus dem Archiv der Stadt Freiburg im Breisgau IV. Teil). (Nachdruck beider Teile in einem Band, Freiburg 1978)

Porsche, Monika: Die mittelalterliche Stadtbefestigung von Freiburg im Breisgau, Stuttgart 1994 (= Materialhefte zur Archäologie in Baden-Württemberg Heft 22)

Ricker, Leo Alexander: Freiburg. Aus der Geschichte einer Stadt, Karlsruhe 1964 (Reprint: Freiburg 1982)

Roecken, Sully / Brauckmann, Carolina: Margaretha Jedefrau, Freiburg 1986

Schadek, Hans: Badens Mitgift. 50 Jahre Baden-Württemberg, Freiburg 2002

Schadek, Hans / Zotz, Thomas: Freiburg 1091–1120. Neue Forschungen zu den Anfängen der Stadt, Sigmaringen 1995 (= Archäologie und Geschichte. Freiburger Forschungen zum ersten Jahrtausend in Südwestdeutschland. Band 7)

Schmider, Christoph: Die Freiburger Bischöfe, Freiburg 2002

Schreiber, Heinrich: Geschichte der Albert-Ludwigs-Universität zu Freiburg i. Br. Bde. 1–3, Freiburg 1857/60. – *Ders.:* Freiburg im Breisgau mit seinen Umgebungen, Freiburg 2. Aufl. 1838 (1. Aufl. 1825, Faksimile der 3. Aufl. von 1840, Freiburg 1970). – *Ders.:* Geschichte der Stadt Freiburg i. Br. IV. Theil, Freiburg 1858

Schwineköper, Berent: Historischer Plan der Stadt Freiburg im Breisgau (vor 1850), Freiburg 1975 (= Vö. aus dem Archiv der Stadt Freiburg im Breisgau 14)

Ueberschär, Gerd R.: Freiburg im Luftkrieg 1939–1945, Freiburg 1990

Auswahl von Zeitschriften und Periodica mit Beiträgen zur Geschichte und Kunstgeschichte der Stadt Freiburg:

Freiburger Almanach. Illustriertes Jahrbuch, seit 1949.

„Schau-ins-Land" Zeitschrift des Breisgau-Geschichtsvereins, seit 1870.

Münsterblatt. Jahresschrift des Freiburger Münsterbauvereins, seit 1994 (Vorgänger: Freiburger Münsterblätter 1905 bis 1919)

Freiburger Universitätsblätter, seit 1962.

Badische Heimat. Zeitschrift für Landes- und Volkskunde, Natur-, Umwelt und Denkmalschutz, seit 1921.

Denkmalpflege in Baden-Württemberg. Nachrichtenblatt des Landesdenkmalamts, seit 1972 (Vorgänger: Nachrichtenblatt der Denkmalpflege Baden-Württemberg, 1958–1971)

Freiburger Diözesan-Archiv, seit 1865

Register

Ortsregister (Freiburg)

Welte & Söhne, Orgel- und
   Orchestrionfabrik 124
Werderring 138
Wiehre 18, 20, 124
Wirtshaus „Zum Storchen" 104

Zähringen 18
–, Burg 20, 21, 33, 47
Zähringer Burgberg 15
– Vorstadt 113 f.

Ortsregister (allgemein)

Personenregister

159

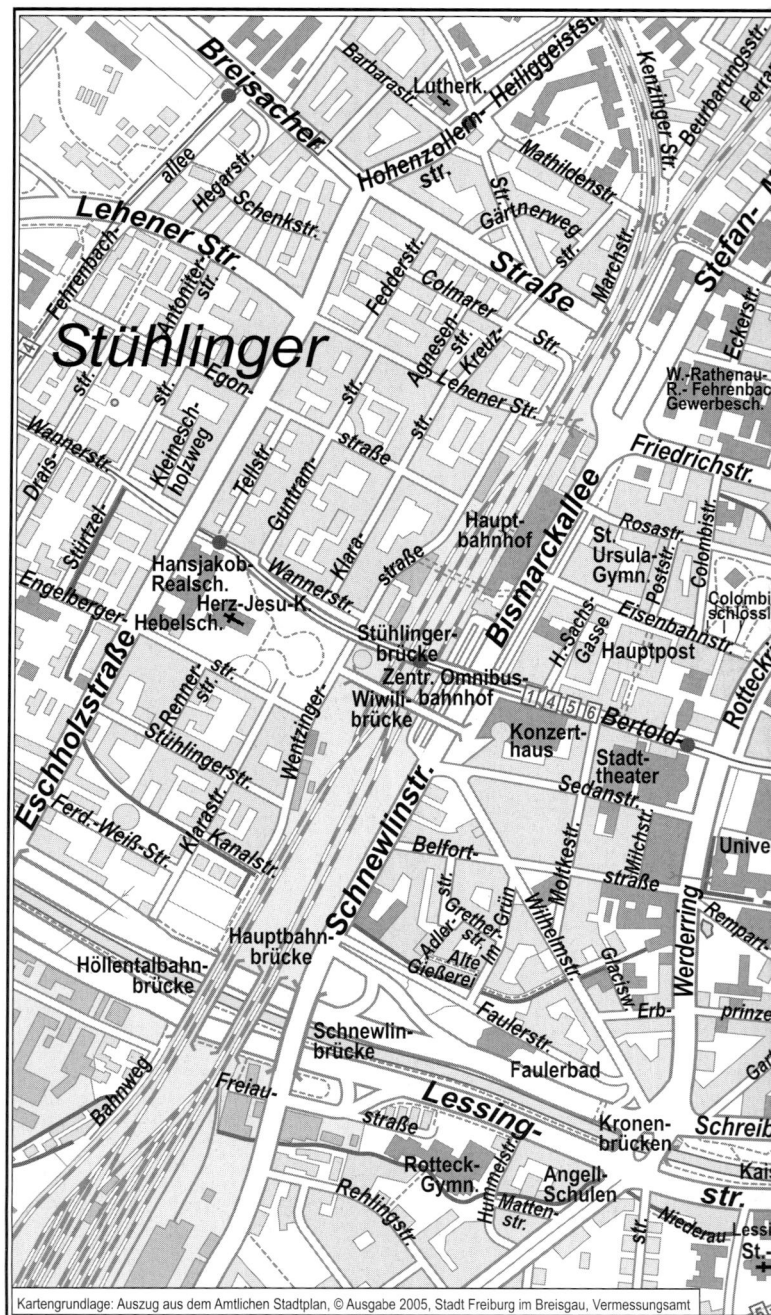

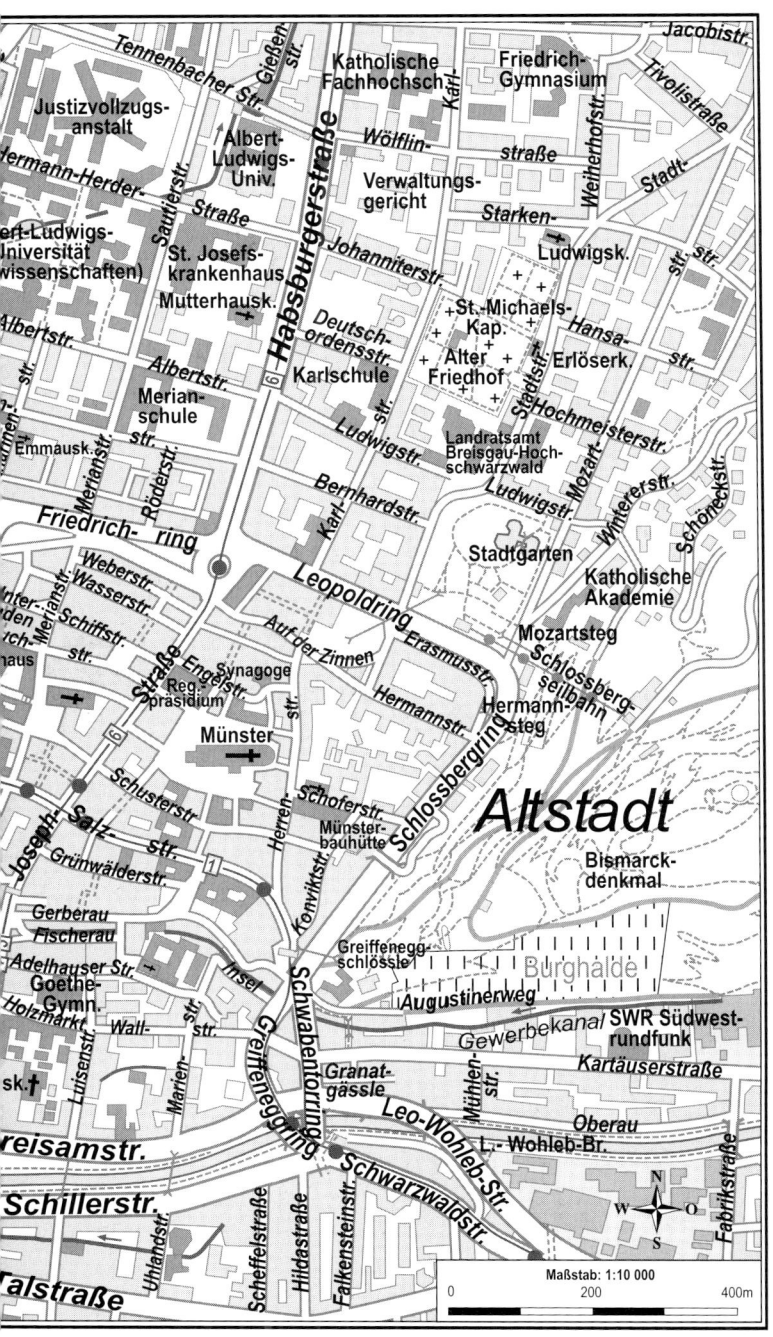

Internetadressen

www.freiburg.de (offizielle Homepage der Stadt Freiburg mit vielen Links und Querverweisen)

www.freiburg.de/museen (Homepage der Städtischen Museen Freiburg)

www.muensterbauverein-freiburg.de (Informationen aus der Münsterbauhütte)

www.breisgau-net.de/Breisgau-Geschichtsverein (wichtigster historischer Verein der Stadt)

www.breisgauer-narrenzunft.de (Freiburger Fastnacht und Fasnetsmuseum)

www.uniseum.de (Museum der Albert-Ludwigs-Universität Freiburg)

www.habsburg.net (Informationen zur Geschichte der Habsburger zwischen Rhein und Donau)

www.museumspass.com (Zusammenschluss von über 170 Museen in Deutschland, Frankreich und der Schweiz)

www.kuratorium-schlossberg.de (Informationen zum Freiburger Schlossberg)

www.badische-heimat.de (Verein für Landes- und Volkskunde, Natur- und Denkmalschutz)

www.erzdioezese-freiburg.de (Website des Erzbistums Freiburg)

Bildnachweis

Verlag und Autor bedanken sich bei allen Bildleihgebern

Stadt Freiburg, Augustinermuseum – Abtlg. Museum für Stadtgeschichte im Wentzingerhaus: 34, 76, 121
Stadt Freiburg, Stadtarchiv: 58, 130, 133, 135
Dr. Rüdiger Buhl, Kirchzarten: 139, 141
Alle übrigen Abbildungen: *Stadt Freiburg, Augustinermuseum (Graphisches Kabinett / Denkmälerarchiv)*

Stadtplan S. 164/165: © *Stadt Freiburg, Vermessungsamt*

Kleine Mannheimer Stadtgeschichte

von Hansjörg Probst

168 Seiten, 42 Abbildungen, kart.
ISBN-13: 978-3-7917-1972-6
ISBN-10: 3-7917-1972-6

Mannheim ist eine junge Stadt. Seit ihrer
Gründung 1606/07 wurde sie zweimal
völlig zerstört und auf ihrem schachbrett-
artigen Umriss wieder aufgebaut. Im
18. Jahrhundert war Mannheim Haupt-
und Residenzstadt der Kurpfalz und
erblühte zu einer europäischen Kultur-
metropole. Mit dem politischen und wirtschaftlichen Aufstieg
des Bürgertums im 19. Jahrhundert begann erneut ein
Goldenes Zeitalter, Handel und Industrie florierten …
Die *Kleine Mannheimer Stadtgeschichte* öffnet den Blick auf
eine der eigenwilligsten und prägendsten deutschen Stadt-
persönlichkeiten.

Kleine Heidelberger Stadtgeschichte

von Oliver Fink

152 Seiten, 39 Abbildungen, kart.
ISBN-13: 978-3-7917-1971-9
ISBN-10: 3-7917-1971-8

Heidelberg zieht Menschen von überall
her an. Doch Heidelberg ist nicht nur eine
schöne Stadt und ein Touristenmagnet –
die Stadt blickt zurück auf eine bewegte
Geschichte. Von dieser erzählt dieses kleine
Buch mit Blick auf das Wesentliche und
auf sehr unterhaltsame Weise: Von Pfalz-
grafen, Kurfürsten und Professoren, von Konfessionen,
Kriegen und Katastrophen, und natürlich von der Stadt der
Romantik und dem ‚Mythos Heidelberg' …

Verlag Friedrich Pustet **www.pustet.de**